Zaya Bedey

I0635258

Der Zweck von Haftstrafen
unter ethischer Betrachtungsweise

Bedey, Zaya: Der Zweck von Haftstrafen unter ethischer Betrachtungsweise, Hamburg, Bachelor + Master Publishing 2023

Buch-ISBN: 978-3-95993-118-2
PDF-eBook-ISBN: 978-3-95993-618-7
Druck/Herstellung: Bachelor + Master Publishing, Hamburg, 2023

Bibliografische Information der Deutschen Nationalbibliothek:
Die Deutsche Nationalbibliothek verzeichnet diese Publikation in der Deutschen Nationalbibliografie; detaillierte bibliografische Daten sind im Internet über http://dnb.d-nb.de abrufbar.

Das Werk einschließlich aller seiner Teile ist urheberrechtlich geschützt. Jede Verwertung außerhalb der Grenzen des Urheberrechtsgesetzes ist ohne Zustimmung des Verlages unzulässig und strafbar. Dies gilt insbesondere für Vervielfältigungen, Übersetzungen, Mikroverfilmungen und die Einspeicherung und Bearbeitung in elektronischen Systemen.

Die Wiedergabe von Gebrauchsnamen, Handelsnamen, Warenbezeichnungen usw. in diesem Werk berechtigt auch ohne besondere Kennzeichnung nicht zu der Annahme, dass solche Namen im Sinne der Warenzeichen- und Markenschutz-Gesetzgebung als frei zu betrachten wären und daher von jedermann benutzt werden dürften.

Die Informationen in diesem Werk wurden mit Sorgfalt erarbeitet. Dennoch können Fehler nicht vollständig ausgeschlossen werden und die Bedey & Thoms Media GmbH, die Autoren oder Übersetzer übernehmen keine juristische Verantwortung oder irgendeine Haftung für evtl. verbliebene fehlerhafte Angaben und deren Folgen.

Alle Rechte vorbehalten

© Bachelor + Master Publishing, Imprint der Bedey & Thoms Media GmbH
Hermannstal 119k, 22119 Hamburg
http://www.bachelor-master-publishing.de, Hamburg 2023
Printed in Germany

Inhaltsverzeichnis

I. Abkürzungsverzeichnis

bspw .... beispielsweise

BVerfGE .... Bundesverfassungsgericht

ca. .... circa

Hrsg. .... Herausgeber

JVA .... Justizvollzugsanstalt

S. .... *Seite*

SPSS .... Statistical Package for the Social Sciences

StGB .... Strafgesetzbuch

StVollzG .... Strafvollzugsgesetz

Tab .... Tabelle

u.a. .... unter anderem

II. Tabellenverzeichnis

1. Einleitung

1.1 Einleitung zum Thema

Strafen sind Bestandteil unseres Alltags und sie werden in alltäglichen Situationen kaum hinterfragt. Verbietet eine Mutter ihrem Kind, sein Handy eine Woche lang nicht mehr zu benutzen, weil es sein Zimmer nicht aufgeräumt hat, wird dies oft in dieser konkreten Situation nicht weiter hinterfragt. Es ist für viele logisch, dass das Kind eine Strafe erhalten muss, damit es lernt, sein Zimmer das nächste Mal aufzuräumen. Der Schlüsselbegriff ist hier die Erziehung. Die Gesellschaft empfindet es als gerecht, das Kind für sein begangenes Unrecht (Zimmer nicht aufräumen) zu bestrafen. Es muss Konsequenzen spüren. So kommt es zu einem Ausgleich für das begangene Unrecht. Doch gelten diese Überlegungen auch für Strafen im Allgemeinen? Der Sinn und Zweck von Strafen sollte mehr hinterfragt werden. Was gerecht ist und was nicht, bestimmt die Gesellschaft. Auf ihrer Vorstellung von gut oder böse, gerecht oder ungerecht werden ihre Gesetze geschaffen. Doch was ist, wenn die Ausübung der Strafe nicht mehr gerecht ist? Was ist, wenn die Taten von Tätern nicht mehr schuldhaft begangen werden? Vielleicht sind wir gar nicht fähig, mit einem freien Willen Entscheidungen zu treffen. Der Schaden, der durch Strafe entstehen kann, darf nicht höher sein als sein Nutzen.

Der Staat verhängt in unserem Rechtssystem Strafen. Die Haftstrafe ist eine von vielen Möglichkeiten der staatlichen Bestrafung. Die Gefängnisse haben das Ziel, die Häftlinge zu resozialisieren. Zudem schützen sie die Gesellschaft vor den gewalttätigen Personen hinter ihren Mauern. Die Häftlinge sollen während ihrer Strafe „erzogen" werden. Im Kern ist dieses Prinzip meiner Meinung nach nichts anderes, als die elterliche Erziehung. Aber inwieweit werden diese Ziele verwirklicht? Vielleicht werden die Insassen nur in die von der Gesell-schaft gewünschte Form gezwungen, damit sie wieder wie gewünscht funktionieren. Eventuell bergen die Mauern unserer Gefängnisse nur trügerische Sicherheit. Der Autor Galli (ehemaliger Leiter der JVA in Sachsen, Rechtsanwalt) sagt zu der Institution Gefängnis folgendes: „Alternativen zum Gefängnis werden sich für uns alle nicht nur lohnen. Wir werden tatsächlich sicherer leben können, statt uns nur sicherer zu fühlen. Wir werden tatsächlich gerechter handeln, statt uns nur so zu fühlen."[1]

---

[1] Vgl. Galli (2020), S. 274.

Diese Arbeit sollen folgende Forschungsfragen leiten: „Was ist der Zweck und Sinn von Strafen und Haftstrafe? Welche Rolle spielt die Gerechtigkeit und die Schuld bei der Ausübung von Strafen?"

1.2 Aufbau der Arbeit

Zunächst beschäftigt sich diese Arbeit damit, was unter Strafen verstanden wird und wie sie definiert werden können. Danach werden die Themenfelder der Ethik und Moral beleuchtet und ihr Verhältnis zueinander thematisiert. In diesem Kapitel soll deutlich gemacht werden, inwieweit die Moralvorstellungen Einfluss auf das Rechtssystem und damit auch auf Strafen haben. Als nächster Themenblock wird der Sinn und der Zweck von Strafen behandelt. Um sich mit dem Sinn und dem Zweck von Haftstrafen auseinanderzusetzen, ist es zunächst unausweichlich, sich ausführlich mit dem Sinn und dem Zweck von Strafe auseinanderzusetzen. Der Sinn und der Zweck von Haftstrafen sind in ihrem Kern mit dem Sinn und dem Zweck von Strafen verknüpft. In der Ethik geht es u.a. um die eigene Reflexion seiner Handlungen in Bezug darauf, ob etwas als gut oder böse empfunden wird. In diesem Zusammenhang spielen Gerechtigkeitsabwägungen eine große Rolle. Daher wird ein großer Schwerpunkt der vorliegenden Arbeit auf dem Sinn und dem Zweck von Strafe, in Bezug auf die gerechte Ausübung der Strafe, liegen. Danach folgen Themenblöcke in der die Gerechtigkeit und die Frage der Schuld thematisiert werden. Als nächstes Thema folgt die Auseinandersetzung mit der Institution des Gefängnisses. Die Ziele, die mit der Haftstrafe verfolgt werden sollen, werden in diesem Zusammenhang beleuchtet. Zudem setzt sich diese Arbeit mit den Gedanken Foucaults (französischer Philosoph, Historiker, Soziologe und Psychologe) zur Haftstrafe auseinander. Als Nächstes wird die Forschung dieser Arbeit vorgestellt. Im Kapitel der Forschung und Methodik wird beschrieben, um welche Forschung es sich handelt und welche Daten erhoben wurden. Im nächsten Schritt werden die Ergebnisse der Forschung ausgewertet. Es folgt eine Diskussion in Hinblick auf die Ergebnisse der Forschung. In der vorliegenden Arbeit wird auf die gleichzeitige Verwendung männlicher und weiblicher Sprachformen verzichtet. Das generische Maskulinum wird aufgrund besserer Lesbarkeit verwendet und soll als geschlechterunabhängig verstanden werden.

2. Definitionen der Strafe

Um zu analysieren, welchen Zweck die Haftstrafe verfolgt, muss zunächst erstmal geklärt werden, was Strafen im Allgemeinen sind. Dies ist wichtig, um Rechtfertigungsgründe der Strafe erörtern und diskutieren zu können. Im Folgenden werden unterschiedliche Definitionen genannt und diskutiert.

„Jede Strafe bedeutet, jemanden gegen dessen Willen etwas aufzudrängen, was dieser als unangenehm empfindet, etwa eine Zahlung oder die Beschränkung seiner Freiheit. Daher steht jede Sanktionierung in einem besonderen Rechtfertigungs- und Begründungszusammenhang."[2]

Diese Definition ist sehr weit gefasst. Der Wille einer Person soll gebrochen werden, indem der Person etwas aufgezwungen wird, was diese nicht will. Dabei soll das Aufgezwungene als unangenehm empfunden werden, etwa so wie ein Übel. Nach dieser Definition ist demnach jede Übelzufügung gegen den Willen einer anderen Person eine Strafe. Demnach wäre beispielsweise eine Zufügung körperlicher Gewalt, gegen den Willen des Opfers, eine Strafe.

„Eine Strafe ist ein Übel, und zwar ein Übel, das einem empfindenden Wesen, insbesondere einem Menschen, von einem Menschen (oder möglicherweise von einem Gott) zugefügt wird. Ein Übel, das – wie ein Wirbelsturm oder eine Erkrankung – ohne menschliches (oder göttliches) Zutun von der Natur verursacht ist, ist keine Strafe. Aber auch nicht jedes Übel, das ein Mensch einem Menschen zufügt, ist eine Strafe. Wer einen Mitmenschen aus Sadismus verletzt oder aus Gewinnsucht bestiehlt, fügt seinem Opfer zwar ein Übel zu, aber keine Strafe."[3]

Der Autor Hoerster führt im weiteren Verlauf seiner Ausführungen seine Definition weiter aus. Er argumentiert, dass die Strafe die Reaktion auf einen Normenbruch sein muss. Wenn der Täter demnach den Schaden, den er verursacht hat, wiedergutmachen will und bspw. den gestohlenen PKW dem Opfer wieder zurückbringt, stellt diese Handlung zwar ein Übel für den Täter dar, aber keine Strafe.[4]

Hoerster differenziert als Erster klar zwischen dem Übel und der Strafe. Er macht in seiner Definition bzw. in seiner Erläuterung deutlich, dass die Zufügung eines Übels nicht ausreicht, um Strafe zu begründen. Das zugeführte Übel, muss aus einer Normenrechtsverletzung entstehen.

---

[2] Bögelein (2016), S. 22.
[3] Hoerster (2012), S. 11.
[4] Vgl. Hoerster (2012), S. 11f.

Für den Autor Endres sind die Übelzufügung und die Missbilligung wichtig für die Definition von Strafe. Er geht davon aus, dass die Elemente der Übelszufügung und der Missbilligung zusammengehören und elementar sind, um den Begriff der Strafe zu erklären. Endres erklärt, dass die reine Handlung, einer Person Schmerzen und Leid zuzufügen, Aggression ist, während bei Strafe, zu der Aggression noch eine Rechtsverletzung hinzukommt. Der alleinige Begriff der Missbilligung drückt eine Art Kritik aus.[5]

Nach dieser Definition und deren Erläuterung nach, wird Kritik durch eine Rechtsverletzung ausgeübt, auf der die Zufügung von Aggressionen folgt.

Alle Definitionen zeigen, dass Strafe eine große emotionale Komponente aufweist. Nach meiner eigenen Definition, wird Jemanden/Etwas ein Übel oder ein Leiden zugefügt, was gegen den Willen desjenigen geschieht. Dabei ist das Leiden oder Übel zurückzuführen auf eine äußere Instanz. Das Übel oder Leid muss zudem eine Norm gebrochen haben, aufgrund dessen die Strafe vollzogen wird. Damit stellt sich mir an dieser Stelle die Frage, inwieweit Strafe an einen Rechtfertigungsgrund bzw. Normbruch gebunden ist.

---

[5] Vgl. Endres (2005), S. 69.

3. Ethik und Moral

Das Wort Ethik leitet sich vom griechischen Wort „ethos" ab. „Ethos" bedeutet: „Sitte, Gewohnheit, Brauch".[6] Im Rahmen der Philosophie wird die Ethik als Wissenschaft vom moralischen Handeln verstanden.[7]

Nach der Autorin Fenner handelt derjenige ethisch, der mit Überlegung und entsprechender Einsicht in jeglichen Situationen richtig handelt. Ethisch Handeln, meint nicht blind nach Normen zu handeln. Das richtige Handeln wird in den Charakter überführt und wird als Denkweise verfestigt.[8] Als unabhängige philosophische Disziplin wird die Ethik erstmals durch Aristoteles gesehen. Er unterschied die Ethik (praktische Philosophie) von der theoretischen Philosophie.[9] Nach Aristoteles müssen Menschen, die alle ein Maß an Vernunft besitzen, die Normen und Wertvorstellungen hinterfragen sowie Einspruch erheben und sie nicht als gegeben hinnehmen. Durch die Ethik werden generelle Beurteilungskriterien und methodische Verfahren entwickelt. Mit diesen Kriterien oder Verfahren können Handlungs-regeln oder normative Aussagen über Handlungsmöglichkeiten begründet werden sowie Kritik darüber geäußert werden. Handlungen können in diesem Rahmen bewertet werden. Zudem kann eine Prüfung über Aussagen getätigt werden, die das gute Leben betreffen und inwieweit das Zusammenleben gerecht ist. Dabei sind keine Handlungsanweisungen gefordert. Es geht lediglich um die Frage nach dem menschlichen Handeln, welches als richtig angesehen wird. Ethik und Moral stehen in einem engen Verhältnis. Die Moral als Norm für das menschliche Zusammenleben befindet sich auf der sogenannten Gegenstands-ebene. Hingegen meint die Ethik die Reflexion der gelebten Moral. Sie ist demnach auf der höhergestellten Reflexionsebene. Zusammenfassend lässt sich sagen, dass die Ethik die Moral reflektiert und/oder begründet sowie kritisiert.[10] Die Theorie der Ethik ist nicht nur für Ethikern oder Philosophen interessant. Ethische Gedanken hat sich mehr oder weniger Jeder bereits gemacht. Wahrscheinlich jedoch ohne eine systematische Theorie, da die Gedanken mit der Lösung einer Situation oder eines Konflikts gebildet wurden und das ethische Problem mit der Sachverhaltslösung nicht mehr relevant ist.[11]

Die Moral beschäftigt sich damit, inwieweit eine Handlung sittlich bzw. gut ist.[12] Sie ist die Überzeugung von Gut und Böse bzw. Richtig und Falsch.

---

[6] Vgl. Fenner (2020), S.16.
[7] Vgl. Pieper (2017), S. 15.
[8] Vgl. Fenner (2020), S.16.
[9] Vgl. Pieper (2017), S. 21.
[10] Vgl. Fenner (2020), S.16-18.
[11] Vgl. Pieper (2017), S. 15.
[12] Vgl. Pieper (2017), S. 15.

Der Autor Hurna beschreibt Moral als ein gesellschaftliches Ordnungssystem. Handlungen können durch sie geleitet werden. Mittels Rechten und Pflichten und durch gewisse Einstellungsmuster bzw. Haltungen sowie durch Verbote und Erlaubnisse, versucht Moral Gruppen oder Individuen zu lenken. Die Beeinflussung soll bestimmte Werte schützen. Damit äußert Moral, wie ein Individuum oder eine Gruppe sein oder handeln (bzw. nicht sein oder nicht handeln) soll. Moral kann auch Aufschluss darüber geben, wer bzw. was man ist. Das Rechtssystem einer Gesellschaft ist durch die Abhängigkeit von der Moral, die in ihr praktiziert wird, eng mit ihr verbunden.[13]

---

[13] Vgl. Hurna (2017), S.1ff.

4.   Sinn und Zweck von Strafe

Strafe verfolgt verschiedene Zwecke. Die Kriminalstrafe befindet sich in einem Spannungs-feld. Auf der einen Seite unterliegt sie einer Rationalität der Strafgesetze, auf der anderen Seite einer gewissen Emotionalität. Die emotionale Seite entsteht aus Gefühlen der Ver-urteilten, den Opfern und den Justizmitarbeitern. Die Strafe hat unterschiedliche Funktionen. Zunächst wird Strafe für den Machterhalt und zur Kontrolle bestimmter Gruppen oder Individuen benutzt. Hinzu kommt die symbolische Komponente, die emotionale Irritationen entgegen wirken soll, die durch abweichendes Verhalten entsteht. Die Strafe drückt sich als ein Teil der Kultur aus, die einer gewissen Logik folgt, um soziale Kontrolle zu bewirken.[14]

Nach Geismann ist die Herrschaft eine Zwangsgewalt, die die freie Willkür des Menschen eingrenzt und so Handlungen erzwingt oder verhindert. Danach begründet sich die Legitimation von Herrschaft auf die Befugnis der Ausübung des Zwanges unter Darlegung eines Grundes.[15]

Welchen Sinn und Zweck Strafen haben, kann durch unterschiedliche Strafzwecktheorien erklärt werden, die im Folgenden vorgestellt werden.

Im Mittelpunkt der philosophischen Auseinandersetzung mit den Strafzwecktheorien steht die Rechtfertigungsfrage. Wenn sich jemand rechtfertigen will, dann dient das der Verteidigung. In Bezug auf die Strafe geht es darum, eine gewisse Handlung vor Vorwürfen zu schützen. Es gilt sich gegen den Vorwurf zu schützen, eine moralische Norm zu brechen, die die beabsichtigte Zufügung von Leid verbietet. Die rechtfertigende Begründung muss dabei nicht ausschließlich moralisch sein.[16]

4.1   Absolute Strafzwecktheorie

Die absolute Strafzwecktheorie ist einer der rechtsphilosophischen Strafzwecktheorien. Sie ist eine Denk- und Begründungsweise der Bestrafung.[17]

Die absolute Strafzwecktheorie ist geprägt von den Gedanken Hegels und Kants. Sie besagt, dass der Sinn einer Strafe in der Vergeltung für ein Unrecht liegt.[18] Der Charakter der Vergeltung liegt darin, den Menschen für sein eigenes Verhalten zur Verantwortung zu ziehen.[19] Die Schuld des Verbrechers soll symbolisch ausgeglichen werden. Daher erfährt der Verbrecher ein Übel für seinen Rechtsbruch. Dabei bezieht sich die Strafe allein auf die

---

[14] Vgl. Bögelein (2016), S. 21.
[15] Vgl. Geismann (1974), S. 39-44.
[16] Vgl. Hallich (2021), S.21-24.
[17] Vgl. Bögelein (2016), S. 23f.
[18] Vgl. Bögelein (2016), S. 23f.
[19] Vgl. Beling (1908), S.7f.

zurückliegende Tat. Die Wirkungsweise der Strafe auf die Gesellschaft ist dabei unerheblich.[20] Nach dem Autor Bassenge wird durch die Strafe die Tat des Täters aufgehoben. Das geschieht in ähnlicher Weise bei einem Schaden und dem Schadensersatz. Der Unrechtsgehalt der unrechten Tat wurde aufgehoben.[21] Das Lustgefühl des Täters bei der Tat und das Unlustgefühl, welches die Vergeltung bei dem Täter erzeugt, führt zu einem Ausgleich. Danach ist er den nicht delinquenten Menschen wieder gleichgestellt.[22]

Kant geht in seiner Theorie von einem Menschen aus, der eine große Willensfreiheit und Vernunft besitzt. Der willensfreie Mensch läuft jedoch Gefahr, von Sittengesetzen abzuweichen. In Kants Augen existiert ein sogenannter Gesellschaftsvertrag. In diesem Vertrag hat das einzelne Individuum die Pflicht, Gesetze zu befolgen. Auf der anderen Seite hat die Gesellschaft die Pflicht, das Individuum vor Gefahren zu schützen. Wird der Vertrag von dem Einzelnen gebrochen, willigt er ein, eine Bestrafung für seinen Vertragsbruch zu erhalten. Dabei ist das Ziel der Bestrafung, die Wiederherstellung der Gerechtigkeit. Das Übel, welches dem Verbrecher wiederfährt, soll dem entstandenen Schaden bei seinem Opfer entsprechen. Damit dient die Bestrafung auch der Vergeltung. Die Schuld darf nach Kant nicht der Gesellschaft anhaften, sondern muss dem Normenbrecher angelastet werden.[23]

Hegels Ideen ähneln den Ideen Kants. Er geht ebenso von einem Menschen mit Willensfreiheit aus. Nach Hegel gibt es zwei Alternativen, von der die richtige Alternative gewählt werden kann. Wird die falsche Alternative gewählt und eine Straftat begangen, kommt die Wahl einer Zustimmung zur Bestrafung gleich. Mit der Bestrafung wird das begangene Verbrechen aufgehoben. Würde der Einzelne nicht für seine Tat bestraft werden, würde ihn dies beleidigen. Keine Bestrafung würde bedeuten, dass der Verbrecher für unvernünftig gehalten wird. Die begangene Tat als solche ist unvernünftig. Sie wird jedoch von einem Individuum begangen, welches durchaus vernunftbegabt ist. Daher ist die Tat eine Aufhebung der Vernunft und die auf die Tat folgende Strafe ist die Aufhebung der Aufhebung der Vernunft.[24]

4.2 relative Strafzwecktheorie

Die relative Strafzwecktheorie ist zukunftsorientiert. Die Theorie beschäftigt sich mit dem Ansatz, dass der Zweck der Strafe darin besteht, dass die in der Zukunft liegenden Straftaten verhindert werden sollen.[25] Es erscheint leichter, Strafe mit Prävention zu begründen, es lässt

---

[20] Vgl. Bögelein (2016), S. 23f.
[21] Vgl. Bassenge (1934), S. 13.
[22] Vgl. Beling (1908), S. 13.
[23] Vgl. Bögelein (2016), S. 23f.
[24] Vgl. Bögelein (2016), S. 23f.
[25] Vgl. Bögelein (2016), S.25f.

sich aber nicht leicht beweisen. Der Schaden, der durch das zugefügte Übel entstanden ist, muss nach der Theorie kleiner sein als der gesellschaftliche Nutzen der Strafe.[26]

Nach dieser Theorie gibt es den spezialpräventiven und generalpräventiven Ansatz. Nach dem spezialpräventiven Ansatz soll der Täter direkt davon abgehalten werden, weitere Straftaten zu begehen.[27] Nach Walter gibt es im Strafrecht einige Vorschriften, die genau diesen Ansatz verfolgen. Dies können Vorschriften sein, wie z.B. die Maßregeln der Besserung und Sicherung oder die Einweisung in die Entzugsklinik. Doch gibt es nur eine spezialpräventive Norm, die eine Strafe als Ziel fordert. Gemäß §47 StGB darf eine Freiheitsstrafe unter sechs Monaten nur dann verhängt werden, wenn dies unerlässlich zur Einwirkung auf den Täter ist. Dem Widerholungstäter soll damit ein Denkzettel verpasst werden. Ein größeres Vergeltungsbedürfnis hat die Gesellschaft Wiederholungstäter gegenüber, da die Schuld bei vermehrten Normenbrüchen größer wird. Der Täter benötigt in zahlreichen Fällen jedoch keinen Denkzettel, was Beispiele im Tötungsdeliktsbereich zeigen. Die Kriminalitätsstrafe darf damit nicht durch die Spezialprävention begründet werden.[28]

Nach dem generalpräventiven Ansatz, sollen potentielle Straftäter von der Begehung zukünftiger Straftaten abgehalten werden. Dieser Ansatz ist demnach nicht an den Täter direkt gerichtet, sondern an die Allgemeinheit, die potentiell in der Lage ist, Straftaten zu begehen.[29] Nach Walter hat die Strafandrohung nur dann eine abschreckende Wirkung auf potenzielle Täter, unter Erfüllung zweier Voraussetzungen. Zum einen muss es für den Adressaten der abschreckenden Wirkung subjektiv hinreichend wahrscheinlich sein, dass er für seine potenzielle Tat bestraft werden könnte. Zum anderen muss das Motiv des Täters für seine Tatbegehung ein durchaus sachliches und nüchternes sein. Beide Voraussetzungen sind nur selten zusammen erfüllt, insbesondere im Bereich der Tötungs- und Gewaltdelikte.[30]

Bei den relativen Straftheorien wird besonders zwischen der Wirkungsweise und dem eingesetzte Mittel differenziert. Negative Spezialprävention bedeutet, dass der Täter mit Zwang dazu gebracht wird, weitere Straftaten zu begehen. Hingegen wird die Spezial-prävention als positiv beschrieben, wenn der Täter mit Hilfe von sozialpädagogischen Mittel dazu gebracht wird, sein Leben ohne weitere Straftaten fortzusetzen. Von einer negativen Generalprävention wird gesprochen, wenn potentielle Täter durch Abschreckung von der Begehung zukünftiger Straftaten abgehalten werden sollen. Hingegen wird die General-prävention als positiv bezeichnet, wenn der Normenbruch des Täters die Normgeltung

---

[26] Vgl. Endres (2005), S. 99.
[27] Vgl. Bögelein (2016), S.25f.
[28] Vgl. Walter (2016), S. 15.
[29] Vgl. Bögelein (2016), S.25f.
[30] Vgl. Walter (2016), S. 16.

deutlich macht. Dabei soll der Gesellschaft der Wert der Norm verdeutlicht werden.[31] Das Vertrauen der Gesellschaft in die Gesetze soll demnach gestärkt werden.[32]

Georg Wagner findet die abschreckende Wirkung von Strafe nach Endres sehr fragwürdig. Der Einfluss der abschreckenden Wirkung sei nach Wagner nicht in der Anzahl der Strafdelikte erkennbar. Endres hingegen argumentiert, dass das System des Strafrechts abschreckend wirkt. Mit der Strafe werde das Gesetz untermauert.[33] Nach dem Autor Nietzsch wird durch Strafe Angst erzeugt. Die Menschen fangen an, mehr zu begehren und ihre Klugheit wird verschärft. Damit macht die Strafe den Menschen keineswegs besser, sondern eher schlechter. Es zähmt die Menschen nur.[34] Popitz hingegen sieht eine Präventivwirkung in der Strafe. Diese bleibt aber nur so lange bestehen, wie die Generalprävention nicht im Hellfeld ersichtlich ist, sondern im Dunkelfeld bleibt.[35] Im Kapitel Abschreckung und das Gefühl der Sicherheit wird noch weiter auf den Abschreckungseffekt eingegangen (siehe S. 21).

4.3 Vereinigungstheorie

In der Vereinigungstheorie wird die Idee der Vergeltung, die den Kern der absoluten Straf-zwecktheorie darstellt und die Idee der präventiven Wirkungsweise von Strafe, welcher der Kern der relativen Strafzwecktheorie darstellt, vereinigt. Mit dieser Vereinigungstheorie wird die Kriminalitätsstrafe mit unterschiedlicher Gewichtung von der Rechtsprechung und von Teilen der Strafrechtslehre gerechtfertigt.[36]

Diese zwei unterschiedlichen philosophischen Theorien haben teilweise gegensätzliche Zielsetzungen, die einen inneren Widerspruch des Strafrechts verdeutlichen. Diese unter-schiedlichen Strafziele machen es schwer, ein einheitliches Konzept für Strafe zu schaffen. Daher gibt es in der Strafrechtslehre Positionen, die für den Zweck der Strafe nur die relative Strafzwecktheorie heranziehen und den Vergeltungsaspekt keine Beachtung schenken.[37] Nach Walter macht die Kombinationsthese keinen Sinn. Er macht deutlich, dass die Ver-geltungslehre keine Hilfstheorien benötigt. Es würde bei der Theorie keine Erklärungslücken geben, die gefüllt werden müssten. Aus Sicht der Vergeltungstheorie haben die Straftat-bestände den Zweck aufzuzeigen, welche Normenbrüche in der Rechtsgemeinschaft als verwerflich gelten.[38]

---

[31] Vgl. Bögelein (2016), S.25f.
[32] Vgl. Walter (2016), S. 16f.
[33] Vgl. Endres (2005), S. 100.
[34] Vgl. Nietzsch (1968), S. 337.
[35] Vgl. Popitz (1968), S. 23.
[36] Vgl. Bögelein (2016), S.28.
[37] Vgl. Bögelein (2016), S.28.
[38] Vgl. Walter (2016), S. 18.

5. Gerechtigkeit und Strafe

In diesem Kapitel wird die Gerechtigkeit von vielen Blickwinkeln aus betrachtet. Dabei wird beleuchtet, was überhaupt gerecht ist und wer bestimmt, was als gerecht gilt. Zudem wird thematisiert, welche Rolle Gerechtigkeit im Zusammenhang mit der Strafe spielt.

Mit Gerechtigkeit ist der gute Wille gemeint, der einen Ausgleich schaffen soll. Dabei bedeutet gerecht zu sein, immer ein positives Verhalten zu zeigen. Es ist ein Stück Vollendung, wenn ein gerechter Mensch, selbst gerecht gegenüber seinem Schädiger ist, obwohl er persönlich verletzt und verhöhnt wurde und es trotzdem schafft, objektiv gerecht zu bleiben.[39]

Gerechtigkeit ist dringend erforderlich und darf keinesfalls fehlen. Gerade im Zusammenhang mit dem Recht, ist die Verwirklichung der Gerechtigkeit wichtig und notwendig. Als Grundlage für die Forderung nach Gerechtigkeit, gilt es jedes Argument hinsichtlich ihres Gerechtigkeitsinhalts zu prüfen. Würde die Gerechtigkeitsprüfung im Zusammenhang mit Straffälligen vernachlässigt werden, würde das bedeuten, selber ein Verbrechen zu begehen. Doch welcher Inhalt gerecht ist und welcher nicht, ist stark von der Verschiedenheit der unterschiedlichen Meinungen abhängig. Aus der Gerechtigkeit heraus entstand die Versöhnung zwischen Menschen. Im Sinne der Nächstenliebe wird bei der Gerechtigkeit nach der Wiederherstellung der Beziehungen unter den Menschen gestrebt. Mit Nächstenliebe ist die Zuwendung zum Menschen gemeint. Eine Zuwendung, die an keine Voraussetzungen geknüpft ist. Die antiken Gerechtigkeitsideen haben den Rechtsgedanken unserer Gesellschaft definiert. Autoren des Altertums sehen in der Gerechtigkeit den Willen jedes Menschen, von sich aus sein eigenes zu geben und keinen zu schädigen. Damit ist die Gerechtigkeit in ihren Augen eine Tugend. Die Tugend ist der Wille, der auf die Umsetzung des Guten gerichtet ist.[40]

Die Gerechtigkeit der Strafe ist ein Regulativ, welches als wichtig erachtet wird. Gleichwohl ist es gegen opportunistische Strafnachlässe sowie eine übermäßige Bestrafung ein Hindernis.[41] Es ist fraglich, inwieweit es möglich ist, ein Strafrechtssystem zu erschaffen, welches die Gerechtigkeitsvorstellungen der Bevölkerung wiederspiegelt. Es könnte sich als schwierig erweisen, wenn man die Überlegung miteinbezieht, dass jeder seine eigene persönliche Sichtweise hat. Doch empirische Studien besagen, dass das Gerechtigkeitsempfinden bei Verhaltensweisen, die als Kernbereich möglichen Fehlverhaltens gelten z.B. Betrug und Körperverletzung, eine hohe Übereinstimmung in den Bevölkerungsgruppen aufweist.[42]

---

[39] Vgl. Nietzsche (1868), S.322, 326.
[40] Vgl. Bianchi (1966), S.33-35.
[41] Vgl. Endres (2005), S.103.
[42] Vgl. Robinson (2019), S 15.

Sowohl die Präventionstheorien (relative Strafzwecktheorie), als auch die absolute Straf-zwecktheorie sind die wichtigsten Auseinandersetzungen mit gerechtigkeitstheoretischen Antworten auf Gesetzesbrüche. Doch die beiden Theorien beschäftigen sich kaum mit dem sozialen Hintergrund von Strafen. Damit trennen sie die gesamtgesellschaftliche Gerechtig-keit von der strafenden Gerechtigkeit. Bei Gerechtigkeitstheorien wird davon ausgegangen, dass der Täter bewusst die Tat begeht. Für eine Bestrafung muss die Tat mit der Freiheit des eigenen Willens begangen worden sein. Die Freiheit des eigenen Willens ist die Grund-voraussetzung für das Handeln und die sich daraus ergebene Schuld.[43] Nach Hegel sollen die vielen Strafzwecktheorien nur eines hervorbringen bzw. bewirken, die Gerechtigkeit. Aber durch diese Theorien wird die Frage der Gerechtigkeit hintenan gestellt. Die Gerechtigkeit ist jedoch der substanzielle Gesichtspunkt, wenn es um das Übel als Strafe geht. Doch es werden die moralischen Gesichtspunkte betrachtet, welche die subjektive Wahrnehmung des Verbrechens ist, in Verbindung mit psychologischen Vorstellungen. Jeder Bürger in der Gesellschaft ist Teil einer vernünftigen Allgemeinheit. Er hat das Recht auf Strafe, welches ihm gewehrt werden muss. Das Verbrechen wird durch die Verletzung der Verletzung aufgehoben. Damit wird das Recht wiederhergestellt und Gerechtigkeit geschaffen.[44] Im Zusammenhang mit der Gerechtigkeit bestärkten neurowissenschaftliche Forschungen, dass die philosophische Willensfreiheit eher eine Fiktion zu sein scheint, um Strafe zu legitimieren.[45] Damit bestärken sie die These von Nietzsche. Dieser geht davon aus, dass Gesetzesverstöße eine Folge der individuellen Geschichte des Täters sind. Dabei kann die Geschichte erklärbar sein und eine Einsicht erzeugen. Ein Richter könne die Tat, wenn er sich richtig mit ihr befassen würde, verstehen und sich in dem Täter wiedererkennen.[46] Frühkindliche Erfahrungen wie z.B. Gewalt und Traumata können das Gehirn aus Sicht der Hirnforschung dauerhaft verändern. Diese Veränderung kann sich auf die Fähigkeit auswirken, mit aggressiven Impulsen in bestimmter Weise umzugehen.[47] U.a. haben neurologische Untersuchungen gezeigt, dass sich bei Gewaltstraftätern die Neigung zur Aggression und Gewalt von den negativen Ausprägungen der erlebten Aggression und Gewalt bestimmt. Die Faktoren verstärken die Neigung zur Aggression. Dies wiederspricht der These, dass jeder Mensch einen freien Willen besitzt und anders handeln kann.[48] Der Autor Dübgen spricht in diesem Zusammenhang von einem Unrechtsparadox, denn der Gerechtigkeit wegen, werden diejenigen am härtesten bestraft, die durch ihr Sozialisation und ihrem Umfeld selbst schlimmes Unrecht erlebt haben. Die gesamtgesellschaftliche Gerechtig-

---

[43] Vgl. Dübgen (2018), S. 6f.
[44] Vgl. Hegel (1821), S. 104-111.
[45] Vgl. Dübgen (2018), S. 6f.
[46] Vgl. Nietzsche (2012), S. 318f.
[47] Vgl. Dübgen (2018), S. 8.
[48] Vgl. Roth & Merkel (2010),S. 158f.

keit kommt hier zu kurz. Gerade heutzutage, in der die Ungleichheit wächst, ist die Fokussierung auf die gesamtgesellschaftliche Gerechtigkeit wichtig.[49]

Menschen stimmen einem Gesellschaftsvertrag zu. Dieser nimmt ihnen zwar Freiheiten, aber verschafft auf der anderen Seite auch Vorteile für die Sicherheit der Menschen.[50] Nach Hobbes beginnt der Aufbau eines Staates nicht mit der Einwilligung in das Recht des Einzelnen, sondern in das Recht der Mehrheit. Für die gesamte Sicherheit wird eine Zwangsgewalt benötigt. Damit muss die höchste Gewalt das Schwert der Gerechtigkeit in ihren Händen halten.[51] Daraus könnte argumentiert werden, dass Bürger, die der höchsten Gewalt unterworfen sind, sich an die Gesetze halten müssen, die wiederum gerecht sein müssen. Danach müssen alle Bürger die gleichen Rechte haben und über diese verfügen können. Und jeder einzelne Teilnehmer der Gesellschaft muss als gleichwertig sozial angesehen werden. An dieser Stelle stellt sich die Frage, was passiert, wenn Bürger nicht das Gefühl haben, dass das der Fall ist. Es ist fraglich, ob dieser Bürger in diesem Fall noch bürgerliche Pflichten hat, und ob der Staat noch das Recht hat, diesen Bürger für einen Regelbruch zu bestrafen. Es ist nur davon auszugehen, dass Menschen gesellschaftliche Pflichten haben, Gesetze zu befolgen, wenn sie die Möglichkeit erhalten, am gesellschaftlichen Zusammenleben teilzuhaben und sich zu beteiligen.[52] Dübgen stellt abschließend Folgendes fest: „Je gerechter eine Gesellschaft beschaffen ist, desto größer ist die moralische Autorität der Staatsgewalt, Rechtsbrüche zu sanktionieren; je ungerechter eine Gesellschaft beschaffen ist, desto tiefer sinkt die moralische Autorität der Staatsgewalt zu strafen."[53]

Nach Dübgen sieht der Staat den Bürger losgelöst von jeglichen sozialen Umständen.[54]

---

[49] Vgl. Dübgen (2018), S. 8.
[50] Vgl. Dübgen (2018), S. 9.
[51] Vgl. Hobbes (2017), S. 99f.
[52] Vgl. Dübgen (2018), S. 9f.
[53] Dübgen (2018), S.11.
[54] Vgl. Dübgen (2018), S. 6.

6. Schuld und Strafe

Nach dem Autor Fischer kann das Verständnis von Schuld in drei Dimensionen geteilt werden[55]: Erstens als die auch der Strafrechts-Dogmatik vertraute Zuweisung von individueller, persönlicher Verantwortung für eine Regelabweichung; zweitens als individual-psychologische Fähigkeit, eine solche Zuweisung vorzunehmen; drittens als sprachliche Symbolisierung eines sozialen Systems, also als – vielfach gespiegelte – kommunikative Aussage über Regeln, die aus empirischen Erfahrungen und kognitiven Erwartungen zu normativen Anforderungen werden.[56]

Laut BVerfGE gilt der Grundsatz „Keine Strafe ohne Schuld". Dieser Grundsatz beruht auf dem Gebot der Achtung der Menschenwürde und dem Rechtsstaatsprinzip. Dem Täter wird mit der Strafe ein sozialethisches Fehlverhalten zum Vorwurf gemacht. Es wäre mit dem Rechtsstaatsprinzip unvereinbar, bei einer strafrechtlichen Reaktion auf solch ein Fehlverhalten, die individuelle Zurechenbarkeit nicht festzustellen.[57] Die Grundlage der Strafzumessung ist die Schuld.[58] Die Schuld im Strafrecht beschäftigt sich mit der Vorwerfbarkeit der Handlung.[59] Ebenfalls ist die Schuld auch die Grenze der Strafzumessung. Die Strafe für den Täter darf nicht höher sein, als die Schuld des Täters.[60] Das Verhältnis zwischen der Schwere der Tat und der Verschuldung des Täters muss gerecht zu der verhängten Strafe sein.[61] Das deutsche Strafgesetz äußert sich zu den Schuldausschließungsgründen. Dabei wird in §20 StGB die Schuldunfähigkeit von Strafmündigen behandelt. Wenn die Tatbegehung bestimmte Defekte aufweist, wie z.B. eine krankhafte seelische Störung oder eine tiefgreifende Bewusstseinsstörung, kann die Schuldfähigkeit des Täters ausgeschlossen werden. Zusätzlich muss es dem Täter dabei an der Unrechtseinsicht oder der Fähigkeit fehlen, nach eben dieser Einsicht zu handeln. Zu diesen bestimmten Defekten gehören konkrete empirische Sachverhalte, wie z.B. Schizophrenie oder der Alkohol und Drogenrausch. Im Umkehrschluss ergibt sich aus §20 StGB, der die Fähigkeit zum rechtmäßigem Handeln unter den eben genannten Bedingungen ausschließen kann, dass Täter, die keine bestimmten Defekte aufweisen, die Möglichkeit gehabt hätten, sich rechtmäßig zu verhalten. Damit könnte aus §20 STGB interpretiert werden, dass die Schuldfähigkeit als solche die Möglichkeit zum Andershandeln bietet, und somit eine Willensfreiheit unterstellt. Der Täter hat sich daher vor seiner Tatbegehung frei entschieden, gegen das Recht zu verstoßen.[62] Nach dem Autor Hegel

---

[55] Vgl. Fischer (2017), S. 33.
[56] Fischer (2017), S. 33.
[57] Vgl. BVerfG (2014), Rn 1-20.
[58] Vgl. Walter (2016), S. 16f.
[59] Vgl. Streng (2017), S. 222.
[60] Vgl. Walter (2016), S. 16f.
[61] Vgl. BVerfG (2014), Rn. 1-20.
[62] Vgl. Roth & Merkel (2010), S. 144.

hat jeder Mensch von Natur aus einen freien Willen. Der Wille ist die Selbstbestimmung des Ich.[63] Der Wille gibt die Ursache unseres Wollens an. Die finale Absicht der Vernunft läuft auf die Freiheit des Willens hinaus.[64] Das Strafrecht nimmt an, dass der Wille des Verbrechers frei ist und das selbst, wenn er umringt von Ketten geboren worden wäre. Der Wille ist demnach die Ursache von sich selber. Von dem Willen existiert nach dieser Annahme keine Verbindung zur menschlichen Anlage und Umwelt.[65]

In der Strafrechtstheorie ist es umstritten, ob ein Schuldbegriff entwickelt werden kann, der sich aus dem Willen und der Willensbildung ableiten kann. Das hat damit zu tun, dass unser subjektives Empfinden der Willenshandlungen teilweise unterschiedlich zu dem ist, was Wissenschaften der Neurowissenschaft und Psychologie dazu sagen. Als Ursache für unsere Handlungen sehen wir den Willen. Nach der Psychologie und auch der Hirnforschung ist die Willensbildung aber nicht nur geistig. Hinzu kommen unbewusste Motive, die auf das limbische System zurückzuführen sind. Große und wesentliche Anteile bewusster Entscheidungen sind vorbestimmt. Die Vorbestimmung findet im limbischen System statt, welches nicht vom Bewusstsein gesteuert wird. Die Faktoren, die Menschen zu Gewalttäter werden lassen, wurden empirisch untersucht. Dabei kann an dieser Stelle angenommen werden, dass die Täter bei der Tatbegehung nicht anders handeln konnten. Die Mehrzahl der Vielfach-Gewalttäter, die untersucht wurden, weisen eindeutige neuro-physiologische oder neuroanatomische Defizite auf. In vielen der Fälle waren diese bereits in der Kindheit oder Jugend erkennbar. Diese Defizite erhöhen die Verletzbarkeit. Die Verletzbarkeit in Ver-bindung mit negativen psychosozialen Faktoren, wie z.B. Gewalterfahrungen oder körper-lichen Missbrauch, machen einen Menschen höchstwahrscheinlich zu einem chronischen Gewalttäter. In diesem Fall kann man nicht von einer freien Willensbildung sprechen.[66] Nach Nietzsche liegt die Schuld in der Erziehung, den Eltern und den veranlassenden Umständen. Die Schuld liegt daher nicht in uns selber, auch nicht in einem Mörder.[67] Die Frage bleibt offen, worin der evolutionäre Sinn liegt, dass Menschen die Meinung vertreten, dass sie frei entscheiden können, obwohl die Neuronen die Reaktion der eigenen Handlung bereits entschieden haben. Endres gibt zu bedenken, dass zwar erklärt werden kann, weshalb der Täter die Tat begangen hat, trotz dessen könne er zur Rechenschaft gezogen werden, da man annimmt, dass der Täter hätte anders handeln sollen. Dem Täter sind prinzipiell alle Gedanken und Gefühle zugänglich, er hätte sich nicht von seinen kriminellen Gedanken und Gefühlen leiten lassen müssen.[68]

---

[63] Vgl. Hegel (1821), S. 37-39.
[64] Vgl. Kant (1889), S. 544.
[65] Vgl. Hentig (1932), S. 185.
[66] Vgl. Roth &Merkel (2010), S.144-152.
[67] Vgl. Nietzsche (1967), S. 79.
[68] Vgl. Endres (2005), S. 104.

Der Autor Fischer geht davon aus, dass Wertung, Moral, Sozialität und Normativität zu der biologischen Existenz gehören und keine Erscheinungen des Geistes sind, welche abtrennbar sind. Es bleibt die Frage, zu welchem Teil die Natur in der Vorstellung von Schuld eine Rolle spielt. Die Schuld in Form der Verantwortungszuweisung ist das Ergebnis einer evolutionär-biologischen Daseins als Wesen mit sozialen Fähigkeiten. Es ist wichtig, ihr körperliches Dasein in ihrem sozialen Existieren zu verstehen.[69]

Kreiß vertritt die Meinung, dass es das Vorrecht des Herrschers ist, individuelle Einschätzungen bei Fragen zur moralischen Schuld hervorzuheben. Dabei sind die individuellen Überzeugungen, der in der Gesellschaft lebenden Bürger, ausschlaggebend.[70]

Nach Nietzsche soll die Strafe das Gefühl der Schuld im Schuldigen erzeugen. Es soll im Schuldigen eine seelische Reaktion hervorrufen, das schlechte Gewissen. Durch die Strafe wurde die Entwicklung des Schuldgefühls, gerade in Bezug auf die Opfer, aufgehalten. Der Verbrecher wird durch den Anblick der strafenden Instanzen daran gehindert, seine begangene Tat verwerflich zu finden. Nietzsch beschreibt das schlechte Gewissen als eine tiefsitzende Erkrankung. Diese Erkrankung setzt den Menschen unter Druck, eine Veränderung zu durchlaufen, die ihm Frieden im Bann der Gesellschaft verschafft. Der Mensch besitzt Instinkte, die ausgelebt werden wollen. Die Instinkte, die nicht nach außen ausgelebt werden, wenden sich in das Innere des Menschen. Der Staat hemmt mit Strafen die Entladung der Instinkte der Freiheit und Wildheit, sodass diese Instinkte sich gegen den Menschen selber im Inneren richten. Der Ursprung des schlechten Gewissens liegt in den Instinkten des Menschen, die sich gegen ihn gewandt haben.[71]

Diese Kapitel möchte ich mit folgen Gedanken von Nietzsche beenden. Dieser sagt, dass die Schuld als solche nicht die ist, die bestraft wird. Der Mensch wird bloß als Mittel benutzt.[72]

---

[69] Vgl. Fischer (2017), S. 39f.
[70] Vgl. Kreiß (2017), S. 86.
[71] Vgl. Nietzsch (1968), S.334-339.
[72] Vgl. Nietzsch (1967), S.79.

7. Das System Gefängnis

Das strafrechtliche Ziel des Gefängnisses, ist die Resozialisierung.[73] Das künftige Leben in sozialer Verantwortung ohne Strafen zu verbringen, ist das gesetzliche Vollzugsziel der Freiheitsstrafe (gemäß §2 StVollzG). Gefängnisse dienen dem Allgemeinwohl. Sie resozialisieren ihre Inhaftierten und sorgen gleichzeitig für den Schutz der Allgemeinheit vor gewaltbereiten Personen. Die Zeit im Gefängnis soll den Inhaftierten erziehen und gleichzeitig individualpräventiv wirken. Hinzu kommt noch eine weitere Funktion des Gefängnisses, die Selbstvergewisserung durch Ausschluss. Es erfolgt eine Negativabgrenzung für die Gesellschaft. Sie verdeutlicht, dass die Gesellschaft „eben nicht so ist, wie die Inhaftierten". Die Hoffnung auf Freiheit darf dem Gefangenen aus ethischer Sicht nicht verwehrt werden.[74] Dübgen beschreibt die Haft als eine Versammlung von Menschen, die am Rande der Gesellschaft stehen. Sie werden innerhalb einer Institution versammelt, die abgeschirmt vom normalen Alltag außerhalb des Gefängnisses leben. Die Haftstrafe de-sozialisiert und isoliert die im Gefängnis Inhaftierten.[75] Endres beschreibt das Gefängnis als derweilen übermäßig starr und kurzsichtig. Zudem beschreibt er es als in sich widersprüchlich. Die Strafe muss mit Sinn und Zweck vollzogen werden.[76] Unter Sträflingen ist das schlechte Gewissen sehr selten. Strafe härtet und kältet den Menschen ab. Das Gefühl der Entfremdung wird größer und die Widerstandskraft wird stärker.[77]

Zwangsläufig nehmen Bedienstete Einfluss auf die Gefangenen, aber auch andersherum. Zudem erfolgt eine Einflussnahme zwischen den Gefangenen und zwischen den Bediensteten, genauso wie die Öffentlichkeit auf den Vollzug Einfluss nimmt und umgekehrt. Durch die Hierarchien werden Spannungen und Konflikte ausgelöst. Diese beeinflussen das Handeln jedes Einzelnen. Soziale Systeme werden durch Hierarchien zwar stabilisiert, doch durch Auf- und Abstiege innerhalb der Rangordnung wird die Randordnung im gleichen Zuge in Frage gestellt. Oben in der Rangordnung zu stehen bedeutet gleichzeitig, dass ein anderer auf der Rangordnung unten steht. In den Vollzugsanstalten herrscht ein stetes und sinnloses Gerangel um Macht.[78] Durch die Machtstrukturen wird immer Macht auf die Häftlinge ausgeübt.

Nach dem Autor Hirsch besteht kaum ein Versuch sich dahingehend zu bemühen, Gewalt einzudämmen. Gewalt ist im theoretischen Sinne schwer zu verstehen. Sie lässt sich nicht, wie etwa ein Gegenstand, erfassen. Die Gewalt macht sich schnell selbstständig. Kontrolle ist damit sehr schwierig. Durch die Ausübung der Gewalt wird derjenige, der sie ausübt, von

---

[73] Konrad (2005), S.214.
[74] Vgl. Trummer (2013), S. 28f.
[75] Vgl. Dübgen (2018), S. 1.
[76] Vgl. Endres (2005), S. 116.
[77] Vgl. Nietzsch (1968), S. 335.
[78] Vgl. Skroblin (2005), S. 127, 136.

ihr eingenommen und selbst der Gewalt unterworfen. Er ist jeglicher eigener Handlungssteuerung beraubt. Anders verhält es sich mit dem Verstehen der Rechtfertigung von Gewalt. Die Gewaltrechtfertigung umgibt ein gewisser Rahmen. Nach der etymologischen Sichtweise, ist das Verstehen von Gewalt bereits die Rechtfertigung dieser. In diesem Zusammenhang zielt sie ebenso auf ein moralisches Verstehen gegenüber dem Opfer, Dritten als Beobachter und diejenigen, die von der Gewalthandlung wussten, ab.[79]

7.1 Die Resozialisierung und Erziehung

Die Freiheitsstrafe schafft durch den Freiheitsentzug des Häftlings eine eigene Sphäre. Diese macht eine Erziehung sehr schwer. Es muss ein pädagogischer Bezug erreicht werden zwischen dem Täter und dem Erzieher. Das wird nur erreicht, wenn der Täter für Sühne bereitwillig ist und er seine Freiheit freiwillig aufgibt. So wird ein Ausgleich zum Zwangscharakter geschaffen. Zudem ist das Umfeld der Anstalt von Bedeutung. Der Täter darf nicht als minderwertig behandelt werden und mit asozialen Menschen zusammengebracht werden.[80] Bleibt der zu Erziehende passiv oder hat er kein Interesse daran, sich zu bessern, führt die Erziehung nicht zum Erfolg. Der zu Erziehende ist im Sinn der Pädagogik für den Erziehungserfolg verantwortlich.[81] Nach Ostendorf kann der Häftling den Gebrauch von Freiheit nicht durch Freiheitsentzug erlernen. Kontakte, die ihn positiv beeinflussen würden, nehmen nicht zu. Ausbildungsstellen oder Arbeitsstellen sind für den entlassenen Häftling schwerer zugänglich.[82] Die Haftstrafe kann für den Täter aber auch eine Chance darstellen. Der Täter hat die Möglichkeit im Rahmen seiner Freiheitsstrafe einen eigenständigen Blick auf seine Tat zu entwickeln. Der Täter ist von seinem persönlichen eventuell kriminalitätsfördernden Umfeld getrennt. Das kann ihm helfen.[83] Es kann dem Täter aber auch schaden, wenn er aus funktionierenden familiären Strukturen herausgeholt wird und im Strafvollzug auf ein die Delinquenz förderndes Umfeld stößt.[84]

Im Sinne der Resozialisierung soll der Freiheitsentzug als eine spezialpräventive Maßnahme eingesetzt werden.[85] Im Rahmen der Resozialisierung ist es notwendig, sich mit der Rückfälligkeit Haftentlassener auseinanderzusetzen. Es gibt nicht viele Studien zu der Rückfälligkeit von Straftätern im Allgemeinen und Haftentlassenen, doch es gibt sie.[86] Die

---

[79] Vgl. Hirsch (2004), S.220f.
[80] Vgl. Schwarzenberger (1933), S. 99.
[81] Vgl. Stock (1933), S. 78.
[82] Vgl. Ostendorf (2000), S. 17.
[83] Vgl. Hoven (2021), S 13.
[84] Vgl. Schulte (2019), 250ff.
[85] Vgl. Endres (2005), S. 116.
[86] Vgl. Galli (2020), S. 47.

Forschung von den Autoren Albrecht und Jehle zeigen, dass im Jahr 2007 ca. jeder Dritte, der aus der Haft entlassen wurde bzw. strafrechtlich sanktioniert wurde, erneut straffällig geworden ist. Dabei beschränkt sich der Risikozeitraum der Rückfälligkeit auf drei Jahre. Ein erhöhtes Rückfallrisiko weisen dabei Haftentlassene gegenüber Straftätern auf, die mit milderen Sanktionen belegten wurden. Haftentlassene werden nach dieser Forschung überwiegend erneut straffällig. Die Rückfallquote variiert in Bezug zu den unterschiedlichen Deliktstypen. Tötungsdelikte weisen beispielsweise eine niedrige Rückfallrate auf. Bei Raubdelikten und schwere Diebstahlsdelikten werden die Täter hingegen zu mehr als 50% rückfällig.[87] Die ersten Monate nach der Haftentlassung bergen für den frisch Entlassenen am meisten die Gefahr, rückfällig zu werden.[88] Die verfügbaren Statistiken lassen jedoch keine Rückschlüsse darauf zu, inwieweit der Strafvollzug letztendlich rückfallwirkend ist. Es wird behauptet, dass es ein Erfolg sei, dass ca. 50% der Haftentlassenen erneut Straftaten begehen. Doch eine Resozialisierungswirkung ist damit noch nicht belegt. Andersherum kann man mit den 50% auch keine negative Resozialisierungswirkung beweisen.[89]

Nach Endres findet durch die Strafe eine gesellschaftliche Solidarisierung mit dem Opfer statt. Endres argumentiert, dass durch die gesellschaftliche Solidarisierung auch in gewisser Art und Weise die Resozialisierung stattfindet.[90]

Als spezialpräventive Maßnahme können spezifische Behandlungsprogramme für einzelne Tätergruppen entwickelt werden. Dies ist z.B. bei der Gruppe der Sexualstraftäter bereits der Fall.[91] Diesem Ansatz schließt sich der Autor Wohlgemuth an. Er stellt ein Zielsystem auf, in denen Häftlinge intensivere soziale Trainingsmöglichkeiten bekommen sollen. Zudem sollen therapeutische Einzel- und Gruppenangebote gewährleistet werden.[92] Die Autorin Hoven führt an, dass es bereits Möglichkeiten für den Täter gibt wie z.B. Therapien, um das eigene Verhalten zu überdenken. Zudem gibt es Angebote, um die berufliche Situation zu verbessern.[93] Nach dem Autor Rotthaus gibt es Sozialarbeiter und Sozialpädagogen im Strafvollzug. Diese haben sehr engen Kontakt zu den Häftlingen. Durch Fort- und Ausbildungen können diese Behandlungen vornehmen, die der therapeutischen Behandlungen wie z.B. soziale Trainings nahe kommen. Diese Entwicklung muss gefördert werden. Zudem ist die Anwesenheit von Psychologen im Strafvollzug enorm wichtig, da diese das Klima der Anstalten verbessern und einen humanitären Umgang mit den Häftlingen gewährleisten. Sie sind wichtig in Bezug auf das Resozialisierungsziel. Die große Zahl an Häftlingen, die

---

[87] Vgl. Jehle u.a. (2013), S.7ff.
[88] Vgl. Eisenberg/Kölbel (2017), S. 1113.
[89] Vgl. Galli (2020), S. 48.
[90] Vgl. Endres (2005), S. 114.
[91] Vgl. Endres (2005), S. 116.
[92] Vgl. Wohlgemuth (2005), S. 122.
[93] Vgl. Hoven (2021), S.12.

psychische Störungen aufweisen, bekommt derzeit bei weitem zu wenig Aufmerksamkeit.[94] Nach Konrad weisen die Häftlinge überwiegend keine psychischen Krankheiten auf. Dennoch haben die Psychologen breite psychologische Grundkenntnisse in Bezug auf den Umgang mit delinquenten Verhalten. Sie können einen positiven Einfluss auf das Ziel der Resozialisierung der Häftlinge haben.[95]

7.2 Die Abschreckung und das Gefühl der Sicherheit

Die Abschreckungswirkung wird in der Gesellschaft stark diskutiert.[96] Ein rationaler und zukunftsorientierter Zweck der Haftstrafe ist die Abschreckung. Es gibt jedoch gewisse Schwierigkeiten, die Abschreckungsgefahr einzuschätzen. In Haft sind nämlich gerade die Täter, bei denen der Abschreckungseffekt nicht gewirkt hat. Inwieweit die Abschreckung auf potentielle Täter wirkt, ist im Grunde nicht zu ermitteln.[97] Im Rahmen deutscher Forschungen wurde bestätigt, dass die Schwere der abstrakten Strafandrohung keine sichtbare Abschreckungswirkung hat. Nach Endres ist es kritisch, inwieweit die Härte der Strafe einen kriminalitätsmindernden Effekt hat. Viele Täter kennen die Strafandrohungen eventuell im Detail nicht und gerade Gewaltdelikte passieren meist ohne einen vorherigen Abwägungsvorgang.[98] Bei Delikten minderer Schwere, die im Alltag häufig vorkommen, hat das Entdeckungsrisiko jedoch eine generalpräventive Bedeutung. Zudem fand man heraus, dass die Bürger sich rechtstreu verhalten, wenn die Tat durch die Gesellschaft missbilligt wird. Die gesellschaftlich akzeptierte Norm wurde moralisch verinnerlicht. Die Höhe der Strafen, die gesetzlich angedroht wurden und die Strafen, die vom Gereicht verhängt wurden, haben aber in der Regel im Rahmen des Abschreckungseffektes keinen Einfluss auf die Hemmschwelle für weitere Taten potentieller Täter, noch im Rahmen der positiven Generalprävention Einfluss auf die Normenakzeptanz der Gesellschaft.[99] Galli führt als Beleg für die geringe Abschreckungsgefahr das Beispiel des Tabakkonsums an. Er führt an, dass Bilder von Raucherlungen, Zungen, die der Krebs zerfressen hat und Männer, die mittlerweile impotent geworden sind, auf der Zigarettenschachtel zu sehen sind. Zudem prangt der Slogan darauf, dass Rauchen tödlich ist. Die Abschreckung wurde hier mit jeglichen Mitteln versucht umzusetzen und trotzdem wird in unserer Gesellschaft viel geraucht.[100]

---

[94] Vgl. Rotthaus (2005), S. 203f.
[95] Vgl. Konrad (2005), S. 214.
[96] Vgl. Endres (2005), S. 100.
[97] Vgl. Galli (2020), S.107f.
[98] Vgl. Endres (2005), S.100.
[99] Vgl. Kunz & Singelnstein (2016), S.288f.
[100] Vgl. Galli (2020), S. 111.

Das Gefängnis dient dazu, die Angst in der Gesellschaft, selber Opfer einer Straftat zu werden, zu verringern.[101] Nach Endres führt das Streben nach innerer Sicherheit zur Intoleranz gegenüber Abweichungen jeder Form.[102] Die Vorstellung der hohen Gefängnismauern geben der Gesellschaft das Gefühl, geschützt und sicher vor den Häftlingen hinter den Mauern zu sein. Der Staat gibt der Gesellschaft mit der Institution Gefängnis ein Versprechen für Sicherheit. Besteht Zweifel an diesem Versprechen, fängt das System an zu wackeln. Die grundsätzliche Sicherheit in der Gesellschaft wird, bezogen auf den Großteil der Inhaftierten, nicht durch die Institution Gefängnis erhöht. Das kriminelle Verhalten der Häftlinge wird im Strafvollzug unterdrückt, nach der Entlassung wird es aber höchstwahrscheinlich wieder zum Vorschein kommen.[103]

7.3 Institution Gefängnis nach Foucault

Gefängnisse im Allgemeinen sind älter als der Gebrauch von Gefängnissen im Justizapparat. Somit hat sich das Konstrukt Gefängnis auch außerhalb der Justiz aufgebaut. Die Gefängnisse in der Strafjustiz sollen Individuen anordnen, festhalten und klassifizieren, um so viel Kraft und Zeit wie möglich aus ihnen hervorzuholen, um ihr Verhalten zu lesen. Es findet eine Dressur ihrer Körper statt. Foucault spricht von dem Gefängnis als Beobachtungs- und Registrierungsapparat, welches geballtes Wissen über ihre Insassen grundlegend organisiert. Das System der Haftstrafe erfüllt eine allgemeine gesellschaftliche Funktion. Die Strafgewalt wird an den Gesellschaftsmitgliedern gleichsam ausgeübt und sie wird von den Gesellschaftsmitgliedern repräsentiert. Die Haftstrafe ist eine Grundlage des Strafwesens. Jemanden der Freiheit zu berauben, ist zunächst einfach. Durch diese Einfachheit wird die Selbstverständlichkeit des Gefängnisses hervorgerufen. Der Verlust der eigenen Freiheit trifft alle gleichermaßen, anders als z.B. die Geldstrafe. Den Betroffenen wird Zeit weggenommen. Es erscheint wie eine Wiedergutmachung. Durch das Verbüßen von Zeit erscheint es so, als würde der Normverstoß nicht im Einzelnen die Opfer als Adressaten betreffen, sondern die Gesellschaft. Im Gefängnis sollen Individuen umgeformt werden, um sie gefügig zu machen und sie herzurichten. Das Gefängnis hat das Ziel, Individuen zu verändern, was als Besserung beschrieben wird. Es übt totalitäre Macht auf die Insassen aus. Sie werden unterdrückt und gezüchtigt. Der Gefängnisapparat ist eine Disziplin, die unaufhörlich auf die Insassen einwirkt. Foucault beschreibt den Gefängnisapparat als eine Maschine, die dem Individuum eine neue Form verpasst. Dabei wird mit Erziehung und Zwang auf die Insassen eingewirkt. Foucault spricht in diesem Zusammenhang von einer „Umcodierung der Existenz".[104]

---

[101] Vgl. Galli (2020), S. 101-106.
[102] Vgl. Endres (2005), S. 144.
[103] Vgl. Galli (2020), S. 101-106.
[104] Vgl. Foucault (1977), S. 295-298, S. 301f.

Das Gefängnis verfolgt unterschiedliche Prinzipien. Eines davon ist die Isolierung. Isolation von der äußeren Welt, die das Gefängnis umgibt. Aus der Gefängnisgemeinschaft soll keine solidarische Gemeinschaft entstehen. Die Einsamkeit soll sich positiv auf die gewollte Umformung auswirken. Die Einsamkeit soll zur Reflexion verleiten und dem Gewissen Raum geben. Nach Foucault ist die Ausübung der Macht auf die Häftlinge durch Isolation möglich. Durch diese kann erst eine Unterwerfung stattfinden. Ein weiteres Prinzip ist die Arbeit der Häftlinge. Die Arbeit gibt den Gefangenen eine Gewohnheit und gewisse Ordnung. Dadurch ist dies kaum erkennbar ein Instrument der Gewalt, welches den Körper des Individuums unterwirft. Dieses Prinzip der Ordnung beeinflusst das Verhalten der Gefangenen tiefgründig. Ein weiteres Prinzip des Gefängnisses ist, dass es für die flexible Strafbemessung benutzt wird. Das Urteil wird in ihm vollstreckt, jedoch besteht die Möglichkeit, das Urteil zu revidieren. Bei der Revision geht es um die Dauer der Haft, die heruntergesetzt werden kann. Damit wird die Strafe zu einem Lohn. Dabei muss sich die Dauer der Haftstrafe nach dem individuellen Verlauf der Strafe und des Sträflings selber richten und nicht ausschließlich nach den Gegebenheiten und der Schwere der Tat. Das Individuum macht schließlich eine von der Institution kontrollierte Veränderung durch, bei dem es eingeschlossen wird und dement-sprechend reagiert. Auf den Verlauf der Strafe hat die Gerichtsinstanz jedoch keinen unmittelbaren Einfluss mehr, denn um die Strafe korrigieren zu können, sind Maßnahmen nötig, die nur von dem Personal im Gefängnis, die konkret die Strafe verwalten, getroffen werden können. Das Personal kann am besten beurteilen, inwieweit die Dauer der Strafe verändert werden muss oder eine Strafe gar aufgehoben werden kann. Sie können am besten beurteilen, inwieweit sich ein Sträfling gebessert hat. Nach Foucault gibt es in seinen Worten eine Unabhängigkeitserklärung des Gefängnisses, in welchem das Gefängnis auch ein Teil der Strafsouveränität beansprucht.[105] Nach Foucault geht die Haftstrafe im Gefängnis über die rechtliche Freiheitsberaubung weit hinaus. Das universelle Gebrauchen von Gefäng-nissen ist nicht unbedingt in einer Strafgesellschaft erforderlich.[106]

Delinquenz wird erschaffen durch die Institution Gefängnis. Aus dem Rechtsbrecher wird durch den Vollzug der Delinquent. Durch die zusätzliche Besserungshaft im Vollzug wird eine Zusatzperson zum Delinquenten erschaffen. Der gebrandmarkte Körper des Gemarterten verschwindet, der Körper des Häftlings mitsamt der Individualität des Delinquenten wird erschaffen. Wenn durch das Gefängnis eine Erziehung der Häftlinge stattfinden soll, muss die Existenz von Beginn an untersucht werden. Die Existenz muss von Grund auf saniert werden und biographisch aufgearbeitet werden. Die Ursache des Verbrechens muss inspiziert werden, nicht allein die Umstände der Tat.[107]

---

[105] Vgl. Foucault (1977), S. .302-317.
[106] Vgl. Foucault (1977), S. 302-318, 328.
[107] Vgl. Foucault (1977), S. 323, 327.

8. Forschung und Methodik

Um die Wahrnehmung in der Gesellschaft bezüglich des Zwecks von Strafen, insbesondere Haftstrafen zu erforschen, wurde eine deduktive quantitative Forschung im Rahmen einer Online-Befragung durchgeführt. Mit der Online-Umfrage sollen folgende Forschungsfragen gelöst werden:

- Wie wird der Sinn und Zweck von Strafen in der Gesellschaft wahrgenommen?
- Wie wird der Sinn und Zweck von Haftstrafen in der Gesellschaft wahrgenommen?
- Als wie gerecht und elementar werden Strafen für die Funktion der Gesellschaft empfunden?

Im Rahmen der theoretischen Grundlagen habe ich mich mit dem Sinn und dem Zweck von Strafen, insbesondere Haftstrafen (wie sie in der Wissenschaft der Rechtsphilosophie thematisiert werden), beschäftigt. Sowohl der Sinn und Zweck der Strafe, aber auch insbesondere der Sinn und Zweck der Haftstrafe ist sehr umstritten und wird reichlich diskutiert. Daher möchte ich mit der Umfrage erforschen, inwieweit die Theorie der Wissenschaft, die dieses Thema diskutiert, mit der Wahrnehmung der Bevölkerung übereinstimmt. Es lassen sich unter Berücksichtigung der theoretischen Grundlagen folgende Hypothesen aufstellen:

- Strafen sind sinnvoll und elementar für das Zusammenlaben in unsere Gesellschaft, haben aber den Anspruch gerecht zu sein, um akzeptiert zu werden.

- Der Sinn von Strafe liegt primär in der Vergeltung für ein Unrecht.

- Haftstrafen sind sinnvoll und müssen gerecht verhängt werden, aber nicht alle verhängten Haftstrafen sind gerecht.

- Das primäre Ziel der Haftstrafe liegt nicht darin, die Gesellschaft sicherer zu machen.

Anhand der theoretischen Grundlagen wurde der Fragebogen erstellt. Die gestellten Fragen zielen auf den Sinn und Zweck der Strafe ab. Dabei wurden den Teilnehmern gezielt zu der absoluten und relativen Strafzwecktheorie Fragen gestellt. Diese unterschiedlichen Ansätze konnten die Teilnehmer in ihren Antwortmöglichkeiten gewichten. Zudem wurden die Teilnehmer zur Funktion, zur Legitimation und Gerechtigkeit der Strafe befragt. Im Rahmen der Fragen zur Haftstrafe wurden die Teilnehmer über die Sinnhaftigkeit, den Zweck und die Gerechtigkeit befragt. Der Fragenbogen enthält 17 Fragen, davon sind drei Kontrollfragen. Die Kontrollfragen erfragen das Geschlecht, den höchsten Bildungsabschluss und das Alter. Die Namen der Teilnehmer bleiben anonym. Es wurden keine Voraussetzungen für die Teilnahme an der Onlineumfrage gestellt. Es nahmen insgesamt 202 Personen teil. Drei Teilnehmer wurden disqualifiziert, da sie keine oder nicht alle Fragen beantwortet haben.

Erstellt wurde die Umfrage mit „Google docs". Die Onlineumfrage war vom 15.04.2022-28.04.2022 online. Sie wurde auf sozialen Medien geteilt.[108]

Es wurden 14 Forschungsfragen gestellt. Zur Beantwortung dieser Fragen waren Beantwortungsmöglichkeiten von eins bis sieben möglich. Der Wert eins steht für „Ja", der Wert zwei für „Meistens", der Wert drei für „Eher ja", der Wert vier für „Neutral", der Wert fünf für „Eher nein", der Wert sechs für „Selten" und der Wert sieben für „Nein". Zum Schluss wurden die Kontrollfragen gestellt. Die Kontrollfragen kamen zum Schluss, um die Abbruchquote möglichst gering zu halten. Zur Auswertung der Umfrage erfolgte die Datenanalyse über das Programm SPSS.

Wie alt sind sie?

		Häufigkeit	Prozent	Gültige Prozente	Kumulierte Prozente
Gültig	18-24 Jahre	70	35,2	35,2	35,2
	25-34 Jahre	23	11,6	11,6	46,7
	35-44 Jahre	26	13,1	13,1	59,8
	45-54 Jahre	44	22,1	22,1	81,9
	55-64 Jahre	29	14,6	14,6	96,5
	65-74 Jahre	7	3,5	3,5	100,0
	Gesamt	199	100,0	100,0	

Tabelle 1 Altersverteilung der Teilnehmer (eigene Tab.)

Von 199 Teilnehmern sind 70 Personen zwischen 18 und 24 Jahren alt, 23 Personen zwischen 25 und 34 Jahren, 26 Personen zwischen 35 und 44 Jahren, 44 Personen zwischen 45 und 54 Jahren, 29 Personen zwischen 55 und 64 Jahren und sieben Personen zwischen 65 und 74 Jahren alt.

Als welches Geschlecht identifizieren sie sich?

		Häufigkeit	Prozent	Gültige Prozente	Kumulierte Prozente
Gültig	Männlich	91	45,7	45,7	45,7
	Weiblich	101	50,8	50,8	96,5
	Divers	2	1,0	1,0	97,5
	Keine Angabe gewünscht	5	2,5	2,5	100,0
	Gesamt	199	100,0	100,0	

Tabelle 2 Geschlechterverteilung der Teilnehmer (eigene Tab.)

---

[108] Vgl. Anhang. 12.1 Forschungsumfrage, S. I.

Von 199 Teilnehmern sind 91 Teilnehmer männlich (45,7%), 101 Teilnehmer weiblich (50,8%), 2 Teilnehmer divers (1%) und 5 Teilnehmer haben keine Angabe zu ihrem Geschlecht gemacht (2,5%).

Ihr höchster Bildungsabschluss?

		Häufigkeit	Prozent	Gültige Prozente	Kumulierte Prozente
Gültig	Hauptschullabschluss/Mittlere Reife	7	3,5	3,5	3,5
	Abitur oder gleichwertiger Abschluss	68	34,2	34,2	37,7
	Abgeschlossene Ausbildung	36	18,1	18,1	55,8
	Vordiplom	2	1,0	1,0	56,8
	Bachelor-Abschluss/Diplom	41	20,6	20,6	77,4
	Weiterführendes Studium/Master-Abschluss	43	21,6	21,6	99,0
	Keiner der oben genannten	2	1,0	1,0	100,0
	Gesamt	199	100,0	100,0	

Tabelle 3 Bildungsabschlüsse der Teilnehmer (eigene Tab.)

Von 199 Teilnehmern haben sieben Personen einen Hauptschulabschluss/Mittlerer Reife, 68 Personen Abitur oder einen gleichwertigen Abschluss, 36 Personen eine abgeschlossene Ausbildung, zwei Personen ein Vordiplom, 41 Personen einen Bachelor-Abschluss/Diplom, 43 Personen ein weiterführendes Studium/Master-Abschluss und zwei Personen keiner der oben genannten Abschlüsse.

9. Darstellung der Ergebnisse

In dem folgenden Kapitel werden die Ergebnisse aus der Onlineumfrage ausgewertet. Es wird Bezug zu den Forschungsfragen und den aufgestellten Hypothesen genommen. Die Fragen wurden in Kategorien unterteilt, um sie systematisch besser darstellen zu können. Die Kategorien gliedern sich folgendermaßen: Sinn und Zweck von Strafen, Gesellschaft und Strafe sowie Sinn und Zweck von Haftstrafen. Die Ergebnisse werden mit einer deskriptiven Statistik abgebildet. Die Dezimalzahlen werden auf die zweite Nachkommastelle auf bzw. abgerundet.

Deskriptive Statistiken

	N	Minimum	Maximum	Mittelwert	Std.-Abweichung
Liegt der Sinn der Strafe in der Vergeltung für ein Unrecht?	199	1	7	3,12	1,883
Liegt der Sinn der Strafe darin, den Täter von der Begehung weiterer Straftaten abzuhalten?	199	1	7	2,04	1,424
Liegt der Sinn der Strafe darin, potentielle Täter von der Begehung künftiger Straftaten abzuhalten?	199	1	7	2,48	1,696
Hat der Staat das Recht zu strafen?	199	1	7	1,61	1,201
Muss die Ausübung von Strafe gerecht sein?	199	1	7	1,42	1,036
Werden Strafen gebraucht, damit das System der Gesellschaft funktioniert?	199	1	7	1,98	1,374
Liegt das primäre Ziel der Haftstrafe in der Resozialisierung der Straftäter?	199	1	7	3,64	1,696
Liegt das primäre Ziel der Haftstrafe darin, die Gesellschaft sicherer zu machen?	199	1	7	2,58	1,512
Liegt das primäre Ziel der Haftstrafe darin, die Straftäter zu erziehen?	199	1	7	3,69	1,773
Sind Haftstrafen sinnvoll?	199	1	7	2,26	1,386
Sorgt die Haftstrafe für Sicherheit in der Gesellschaft?	199	1	7	2,85	1,507
Ist es gerecht, einen Mörder zu einer Haftstrafe zu verurteilen?	199	1	7	1,38	,961
Ist es gerecht, einen Steuerhinterzieher zu einer Haftstrafe zu verurteilen?	199	1	7	2,92	1,756
Stimmen sie der Aussage zu?	199	1	7	4,69	1,643
Gültige Werte (listenweise)	199				

Tabelle 4 Deskriptive Statistik Forschungsumfrage (eigene Tab.)

In der Kategorie Sinn und Zweck von Strafen wurden drei Forschungsfragen gestellt. 26,1% der Teilnehmer sehen den Sinn der Strafe in der Vergeltung für ein Unrecht. 18,6% sehen den Zweck meistens darin und 20,1% haben mit „eher ja" geantwortet. 7,0% hingegen stehen der Frage neutral gegenüber. 20,1% der Teilnehmer antworteten mit „Eher nein" oder „Selten" und acht Prozent haben mit „Nein" gestimmt. Das ergibt einen Mittelwert von 3,12 mit einer Standardabweichung von 1,88. Die Teilnehmer sehen den Zweck der Strafe tendenziell zu 64,8% in der Vergeltung für ein Unrecht. „Tendenziell ja" bezieht sich dabei auf die Antwortmöglichkeiten „Ja meistens und Eher ja" (Wert 1-3). „Tendenziell nein" bezieht sich auf die Antwortmöglichkeiten „Eher nein, Selten, Nein" (Wert 5-7). Die Standardabweichung ist im Verhältnis zu den anderen gestellten Fragen sehr hoch, was bedeutet, dass die Meinungen bei dieser Frage sehr weit auseinander gehen. 48,7% der Teilnehmer sehen den Sinn der Strafe darin, den Täter von der Begehung weiterer Straftaten abzuhalten. 23,6% haben diese Frage mit „Meistens" beantwortet und 17,6% mit „Eher ja". 2,0% standen der Frage neutral gegenüber und 5% stimmten für „Eher nein" bzw. „Selten". Nur 3,0% verneinen die Antwort. Daraus ergibt sich ein Mittelwert von 2,04. Damit tendieren die Teilnehmer tendenziell zu 89,9% eher dazu, dass der Sinn der Strafe darin liegt, den Täter von der Begehung weiterer Straftaten abzuhalten. 41,7% der Teilnehmer sehen den Sinn der Strafe darin, potentielle Täter von der Begehung künftiger Straftaten abzuhalten. 39,2% der Teilnehmer beantworteten die Frage mit „Meistens" bzw. „Eher ja". 11,5% tendierten bei der Antwort zu „Eher nein" und „Selten", drei Prozent blieben neutral. 4,5% verneinten die die Frage. Daraus ergibt sich einen Mittelwert von 2,48 mit einer Standartabweichung von 1,7. Damit tendieren die Teilnehmer tendenziell auch bei dieser Frage eher zu 80,9% dazu, dass der Sinn der Strafe darin liegt, potentielle Täter von der Begehung künftiger Straftaten abzuhalten. Meine Hypothese zu Anfang lautete: Der Sinn von Strafe liegt primär in der Vergeltung für ein Unrecht. Diese Hypothese konnte nicht bestätigt werden. Zwar tendieren 64,8% der Teilnehmer dazu, den Sinn in der Vergeltung zu sehen, jedoch tendieren die Teilnehmer zu 89,9% und 80,9% zu einem anderen Sinn von Strafe. Daher liegt der primäre Sinn nach dem Verständnis der Teilnehmer nicht in der Vergeltung für ein Unrecht.[109]

Die Kategorie Gesellschaft und Strafe umfasst ebenfalls drei Fragen. 92,9% der Teilnehmer tendieren tendenziell dazu, dass der Staat das Recht hat zu strafen. 3,5% sind neutral bezüglich der Frage und 3,5% der Teilnehmer tendieren tendenziell dazu, dass der Staat nicht das Recht hat zu strafen. Das ergibt einen Mittelwert von 1,61. Bezüglich der Frage, ob die Ausübung von Strafe gerecht sein muss, antworteten 79,4% der Teilnehmer mit „Ja", 9% mit „Meistens" und 6,5% mit „Eher ja". 3,0% stehen der Aussage neutral gegenüber und 2,0% beantworteten die Frage mit „Eher nein" bzw. „Nein". Das ergibt einen Mittelwert von 1,42

---

[109] Vgl. Tabelle 4, S. 28, Anhang 12.2 Häufigkeitstabellen, S. II.

(Wert 1=„Ja") mit einer Standardabweichung von ca. 1,0. Damit tendieren tendenziell 94,9% der Teilnehmer dazu, dass die Ausübung von Strafe gerecht sein muss. 51,8% der Teilnehmer stimmen der Frage, ob Strafen gebraucht werden, damit das System der Gesellschaft (Zusammenleben der Menschen) funktioniert, zu (Wert 1). 38,7% der Teilnehmer beantworteten die Frage mit „Meistens" bzw. Eher ja". 4,0% gaben „Neutral" an. 2,5% stimmten mit „Eher nein" bzw. „Selten". Nur 3,0% gaben „Nein" an. Daraus ergibt sich ein Mittelwert von 1,98 mit einer Standardabweichung von 1,37. 90,5% der Teilnehmer tendieren tendenziell dazu, dass Strafen gebraucht werden, damit das System der Gesellschaft funktioniert. Meine zweite Hypothese lautete: Strafen sind sinnvoll und elementar für das Zusammenleben in unsere Gesellschaft, haben aber den Anspruch gerecht zu sein, um akzeptiert zu werden. Diese These hat sich ebenso bestätigt, da über 90% der Teilnehmer dazu tendieren, dass Strafen elementar für unsere Gesellschaft sind und zudem gerecht sein müssen.[110]

Die nächste Kategorie beschäftigt sich mit dem Sinn und Zweck von Haftstrafen. Danach finden 9,0% der Teilnehmer, dass das primäre Ziel der Haftstrafe in der Resozialisierung der Straftäter liegt (Wert 1= „Ja"). 19,6% gaben „Meistens" an und 25,1% „Eher ja". Gegenüber der Frage neutral waren 12,1%. Mit „Eher nein" stimmten 20,1 % der Teilnehmer, 6,5% gaben „Selten" an und 7,5% „Nein". Das ergibt einen Mittelwert von 3,64 mit einer Standardabweichung von 1,7. Damit tendieren 53,7% tendenziell dazu, dass die Haftstrafe primär der Resozialisierung dient. Trotzdem ist auffällig, dass nur 9,0% mit einem klaren „Ja" geantwortet haben. Daher lässt sich auch eine relativ hohe Standardabweichung feststellen. 34,1% der Teilnehmer tendieren tendenziell dazu, dass das primäre Ziel der Haftstrafe nicht in der Resozialisierung liegt. 31,2% der Teilnehmer sind der Meinung, dass das primäre Ziel der Haftstrafe darin liegt, die Gesellschaft sicherer zu machen. 47,2% sind der Meinung, dass das primäre Ziel „Meistens" bzw. „Eher" darin liegt, die Gesellschaft sicherer zu machen. 8% beantworteten die Frage mit „Neutral" und 13,5% tendieren eher dazu, dass das primäre Ziel von der Haftstrafe nicht darin liegt die Gesellschaft sicherer zu machen. Daraus ergibt sich ein Mittelwert aus 2,58 mit einer Standardabweichung von 1,51. Insgesamt tendieren 78,4% dazu, dass das primäre Ziel der Haftstrafe darin liegt, die Gesellschaft sicherer zu machen. 11,1% der Teilnehmer sehen das primäre Ziel der Haftstrafe klar darin, die Straftäter zu erziehen. 40,2% beantworteten die Frage mit „Meistens" bzw. „Eher ja". 15,6% blieben „Neutral". 17,6% gaben „Eher nein" an, 5,0% „Selten" und 10,6% „Nein". Daraus ergibt sich ein Mittelwert von 3,69 mit einer Standardabweichung von 1,77. 51,3% tendieren tendenziell dazu, dass das primäre Ziel der Haftstrafe darin liegt, Straftäter zu erziehen. 33,2% tendieren dazu die Frage zu verneinen. Meine dritte Hypothese lautete: Das primäre Ziel der Haftstrafe liegt nicht darin, die Gesellschaft sicherer zu machen. Diese Hypothese kann ebenfalls nicht

---

[110] Vgl. Tabelle 4, S. 28, Anhang 12.2 Häufigkeitstabellen, S. III.

bestätigt werden. 78,4% der Teilnehmer sehen das primäre Ziel der Haftstrafe darin, die Gesellschaft sicherer zu machen.[111]

40,7% der Teilnehmer finden, dass Haftstrafen sinnvoll sind. 40,7% beantworteten die Frage, ob Haftstrafen sinnvoll sind mit „Meistens" bzw. „Eher ja". 11,1% gaben „Neutral" an und 7,5% stimmten mit „Eher nein", „Selten bzw. „Nein". Daraus ergibt sich ein Mittelwert von 2,26 mit einer Standardabweichung von 1,38. 81,4% der Teilnehmer tendieren dazu, Haftstrafen sinnvoll zu finden. 7,5% tendieren dazu, diese nicht sinnvoll zu finden. Die nächste Frage lautete: „Sorgt die Haftstrafe für Sicherheit in der Gesellschaft?". 21,6% beantworteten die Frage mit „Ja", 22,1% mit „Meistens" und „29,1% mit „Eher ja". Damit tendieren 72,8% der Teilnehmer dazu, dass Haftstrafe die Gesellschaft sicherer macht. 12,1% blieben „Neutral", 10,6% gaben „Eher nein" und 4,5% „Selten" bzw. „Nein" an. Daraus ergibt sich ein Mittelwert von 2,85 mit einer Standardabweichung von 1,51. Die nächsten beiden Fragen beschäftigen sich damit, ob es gerecht ist, einen Mörder und einen Steuerhinterzieher zu einer Haftstrafe zu verurteilen. 80,9% beantworteten die Frage in Bezug auf den Mörder mit „Ja". 14,1% beantworteten die Frage mit „Meistens" bzw. „Eher ja" und 1,5% stimmten mit „Neutral", 3,0% gaben „Eher nein" an und 0,5% gab „Nein" an. Damit tendieren 91% der Teilnehmer dazu, dass es gerecht ist, einen Mörder zu einer Haftstrafe zu verurteilen. Daraus ergibt sich ein Mittelwert von 1,38 mit einer Standardabweichung von 0,96. Bei der Frage, ob es gerecht ist, einen Steuerhinterzieher zu einer Haftstrafe zu verurteilen, gaben 31,7% der Teilnehmer „Ja" an. 34,7% beantworteten die Frage mit „Meistens" bzw. „Eher ja". 19,1% stimmten mit „Eher nein" und 6,0% stimmten mit „Selten" bzw. „Nein": Daraus ergibt sich ein Mittelwert von ca. 2,9 mit einer Standardabweichung von 1,76. Insgesamt tendieren 66,4% dazu, dass es gerecht ist, einen Steuerhinterzieher zu einer Haftstrafe zu verurteilen. 25,1 % hingegen tendieren dazu, die Frage zu verneinen. Die letzte aufgestellte Hypothese lautete: Haftstrafen sind sinnvoll und müssen gerecht verhängt werden, aber nicht alle verhängten Haftstrafen sind gerecht. Diese Hypothese kann zum Teil bestätigt werden. 81,4% der Teilnehmer tendieren dazu, Haftstrafen sinnvoll zu finden, 66,4% der Teilnehmer dazu, dass es ebenso gerecht ist, einen Steuerhinterzieher zu einer Haftstrafe zu verurteilen. Die Tendenz der Gerechtigkeit willen, einen Mörder zu verurteilen liegt bei 91%. Das Gerechtigkeitsempfinden ist demnach bei den Teilnehmern unterschiedlich. Trotz dessen empfindet die Mehrheit der Teilnehmer es als gerecht, einen Steuerhinterzieher zu einer Haftstrafe zu verurteilen.[112]

Die letzte Frage beschäftigte sich damit, ob die Teilnehmer folgender Aussage zustimmen: „Im Gefängnis sollen Individuen umgeformt werden, um sie gefügig zu machen und herzurichten.[113]" 7,0% der Teilnehmer beantworteten die Frage mit „Ja", 13,6% stimmten mit

---

[111] Vgl. Tabelle 4, S. 28, Anhang 12.2 Häufigkeitstabellen, S. IV.
[112] Vgl. Tabelle 4, S. 28, Anhang 12.2 Häufigkeitstabellen, S. V, VI.
[113] Vgl. Foucault (1977), S. 297.

„Meistens" bzw. „Eher ja". 14,6% blieben „Neutral", 42,2% gaben „Eher nein" an und 22,6% beantworteten die Frage mit „Selten" bzw. „Nein". Daraus ergibt sich ein Mittelwert von ca. 4,7 mit einer Standardabweichung von 1,64. Insgesamt tendieren 20,6% dazu, der Aussage zuzustimmen, 64,8% tendieren dazu, der Aussage nicht zuzustimmen. Vergleicht man alle angegebenen Antworten im Hinblick auf die männlichen und weiblichen Geschlechter der Teilnehmer, sind keine signifikanten Unterschiede zu erkennen. Vergleicht man alle angegebenen Antworten in Hinblick auf die Altersstufen, lassen sich deutlichere Unterschiede erkennen. Die 18-24 Jährigen Teilnehmer gaben bei der Frage, ob die Haftstrafe die Gesellschaft sicherer macht, im Durchschnitt einen Wert von 2,47 (Mittelwert) an (Wert 2= „Meistens"). Die 25-34 Jährigen gaben bei der Frage einen Wert von 2,78 an. Die 35-44 Jährigen hingegen gaben im Durchschnitt einen Wert von 3,31 und die 45-54 Jährigen einen Wert von 3,16 und die 55-64 Jährigen einen Wert von 2,93. Damit tendieren die 25-64 Jährigen eher zu der Antwortmöglichkeit „Eher ja".[114]

---

[114] Vgl. Tabelle 4, S. 28, Anhang 12.2 Häufigkeitstabellen, S. VI-XII.

10. Diskussion

Folgende Forschungsfragen standen am Anfang dieser Arbeit unter dem Thema Zweck von Haftstrafen unter ethischer Betrachtungsweise: Was ist der Zweck und Sinn von Strafen und Haftstrafen. Welche Rolle spielt die Gerechtigkeit und die Schuld bei der Ausübung von Strafen? Diese Forschungsfragen werden im Folgenden diskutiert.

Ethisch Handeln bedeutet, sich in der entsprechenden Situation richtig zu verhalten. Ethisches Handeln meint eben nicht das blinde Handeln nach Normen.[115] Daher ist es wichtig, den Sinn und Zweck im Leben zu hinterfragen und ihn nicht ohne Reflexion hinzunehmen. Strafen gehören zu unserer Gesellschaft und sind ein großer Teil unseres Strafsystems. Sie sind elementar für unser System.

Die Moral thematisiert, inwieweit eine Handlung sittlich bzw. gut ist.[116] Die Ethik reflektiert die gelebte Moral.[117] Unter der Berücksichtigung, ob etwas „gut oder schlecht" ist, „richtig oder falsch" ist, müssen wir uns Gedanken um Gerechtigkeit und die Schuldfähigkeit in Bezug auf die Ausübung von Strafen machen.

Die Moral kann dazu beitragen herauszufinden, wer man ist.[118] Damit sagt sie auch viel über unsere Gesellschaft aus, über unsere Werte und Normen. Es gilt jedoch trotzdem, die Werte und Normen unserer Gesellschaft kritisch zu hinterfragen und diese zu reflektieren. Es gilt den Sinn und Zweck von Strafen kritisch zu hinterfragen, um sich auch dem Sinn von Haftstrafen zu nähern. Bevor der Sinn von Haftstrafe thematisiert wird, muss der Sinn von Strafe deutlich werden. In der Rechtsphilosophie werden drei große Strafzwecktheorien thematisiert: Die relative Strafzwecktheorie, die absolute Strafzwecktheorie und die Vereinigungstheorie.

Die absolute Strafzwecktheorie sieht die Bestrafung als Wiederherstellung der Gerechtigkeit und als eine Vergeltung für ein begangenes Unrecht.[119] Im Rahmen der in dieser Arbeit durchgeführten Forschungsumfrage wurden die Teilnehmer gefragt, ob der Sinn der Strafe in der Vergeltung für ein Unrecht liegt. Danach gaben 64,8% der Teilnehmer an, dass sie tendenziell den Zweck der Strafe in der Vergeltung für ein Unrecht sehen. Nur 26,1% der Teilnehmer beantworteten die Frage mit einem klaren „Ja". 20,1% beantworteten die Frage mit „Eher nein" oder „Selten". Zudem konnte eine relativ hohe Standardabweichung (die höchste Abweichung aller gestellten Fragen) im Vergleich zu den anderen Forschungsfragen festgestellt werden. Das bedeutet, dass die Meinungen zu dieser Frage sehr unterschiedlich

---

[115] Vgl. Fenner (2020), S. 16.
[116] Vgl. Pieper (2017), S.15.
[117] Vgl. Fenner (2020), S. 18.
[118] Vgl. Hurna (2017), S.1ff.
[119] Vgl. Bögelein (2016), S. 23f.

sind. Zwar tendieren über die Hälfte der Teilnehmer dazu, diese Theorie zu unterstützen, aber nur etwa 20% unterstützen diese These vollkommen (Antwortmöglichkeit „Ja". Ob der Sinn der Strafe in der Vergeltung für ein Unrecht liegt oder nicht, kann schwer nachgewiesen werden. Den Sinn darin zu sehen, liegt im Auge des Betrachters. Nach der absoluten Strafzwecktheorie soll für Gerechtigkeit gesorgt werden. Wenn davon ausgegangen wird, dass die Strafe eine Art Ausgleich darstellt, muss die Tat von dem Täter bewusst begangen worden sein, ansonsten wäre die Strafe kein Ausgleich für Gerechtigkeit.

Der Täter muss demnach einen freien Willen haben.[120] Doch es gibt Forschungen, die zeigen, dass das soziale Umfeld und Erfahrungen in der Kindheit dauerhaft das Gehirn verändern können. Diese Veränderungen beeinträchtigen das Verhalten, mit bestimmten Reizen umzugehen.[121] Wie kann demnach Strafe für Gerechtigkeit sorgen, wenn der Täter durch seine individuelle Geschichte gar nicht anders handeln kann. Aber auf der anderen Seite, wie kann für Gerechtigkeit gesorgt werden, ohne einen Ausgleich zu schaffen. Strafe ist elementar für unsere Gesellschaft. Sie ist wichtig, damit das System funktioniert. Gemäß der Forschungsumfrage stimmen dieser These tendenziell 90,5% der Teilnehmer zu. 92,9% der Teilnehmer tendieren tendenziell dazu, dass der Staat das Recht hat zu strafen. Zudem wird eine gerechte Strafe gefordert. Die Teilnehmer tendieren zu 94,9% dazu, dass die Ausübung von Strafe gerecht sein muss. 79,4% stimmen der These sogar voll und ganz zu (Antwortmöglichkeit „Ja"). Das Gerechtigkeitsempfinden ist sehr stark vom Einzelnen abhängig und subjektiv, trotz dessen spiegelt es sich in unseren Normen und Werten wieder. 91% der Teilnehmer der Forschungsumfrage tendieren dazu, die Verurteilung eines Mörders zu einer Haftstrafe gerecht zu finden. Die Standardabweichung liegt bei der Frage nur bei 0,96, was die geringste Abweichung der Forschungsumfrage darstellt. Hingegen tendieren nur 66,4% der Teilnehmer dazu, dass es gerecht ist, einen Steuerhinterzieher zu einer Haftstrafe zu verurteilen. Diese Ergebnisse lassen darauf schließen, dass Gerechtigkeit eine bedeutende Rolle im Strafrechtssystem spielt und dem Staat auch das Recht zugesprochen wird, dass es strafen kann bzw. soll. Dementsprechend gilt, sich umso mehr damit zu befassen, inwieweit Straftäter Herr ihres eigenen Willens sind und schuldhaft handeln.

Es wird angenommen, dass der Täter seinen kriminellen Gedanken und Neigungen nicht hätte nachgeben müssen, obwohl sein Gehirn bereits die Handlung für ihn entschieden hat.[122] Wenn der Täter nicht anders handeln kann, dann kann ihm auch keine Schuld zugesprochen werden. Inwieweit das Gehirn genau die Handlungen steuert oder eben nicht mehr aktiv steuern kann, kann und soll in dieser Arbeit nicht beantwortet werden. Fest steht aber, dass

---

[120] Vgl. Dübgen (2018), S. 6f.
[121] Vgl. Dübgen (2018), S.8.
[122] Vgl. Endres (2005), S.104.

die Schuld und die Gerechtigkeit in einem engen Verhältnis zur Strafe stehen müssen. Niemand kann wissen, wie er in Situationen reagiert, wenn er gleich dem Täter, der sein Leben lang misshandelt worden ist, aufgewachsen wäre. Wenngleich ohne Strafen ein Chaos ausbrechen würde, denn Strafen bieten Stabilität und Ordnung. Bei der Bestrafung sollte das Augenmerk auf dem Täter liegen, auf seinem Leben, auf seiner individuellen Geschichte. Erst dann können wir von „gutem" und „gerechtem" Handeln sprechen.

Die relative Strafzwecktheorie sieht den Zweck von Strafe in der Prävention. Der Täter soll direkt von der Begehung weiterer Straftaten abgehalten werden (spezialpräventiv). Zudem sollen potenzielle Täter von der Begehung zukünftiger Straftaten abgehalten werden.[123] Die Forschungsumfrage dieser Arbeit kann bestätigen, dass die Teilnehmer dieser Theorie zustimmen. 89,9% der Teilnehmer tendieren dazu, den spezialpräventiven Ansatz zu unterstützen (Antworten mit „Ja, Meistens, Eher ja"). Annähernd 50% der Teilnehmer sehen den Sinn der Strafe voll und ganz in dem spezialpräventiven Ansatz (Antworten mit „Ja"). 80,9%% der Teilnehmer tendieren dazu, den generalpräventiven Ansatz zu verfolgen.

Die Vereinigungstheorie vereint den Ansatz der Vergeltung für ein Unrecht und den Ansatz der präventiven Wirkungsweise von Strafe.[124]

81,4 % der Teilnehmer der Forschungsumfrage tendieren dazu, Haftstrafe sinnvoll zu finden. Das strafrechtliche Ziel des Gefängnisses ist, dass der Straftäter künftig ein Leben in sozialer Verantwortung verbringen kann. Gefängnisse sollen primär resozialisieren, die Allgemeinheit schützen und den Straftäter erziehen. 53,7% der Teilnehmer (nur knapp über die Hälfte) aus der Forschungsumfrage tendieren tendenziell dazu, das primäre Ziel der Haftstrafe in der Resozialisierung zu sehen. Nur 9,0% der Teilnehmer haben bei dieser Forschungsfrage mit einem klarem „Ja" geantwortet. Diese Prozente zeigen, dass die Teilnehmer nicht gänzlich überzeugt von diesem strafrechtlichen Ziel sind. Ein ähnliches Ergebnis lässt sich aus dem strafrechtlichen Ziel der Erziehung ableiten. 51,1% der Teilnehmer tendieren dazu, dass das primäre Ziel der Haftstrafe darin liegt, Straftäter zu erziehen. Nur 11,1% haben das Ziel der Erziehung voll und ganz bejaht. 10,6% beantworteten die Frage dahingehend, dass sie das primäre Ziel nicht in der Erziehung sehen. Es sind demnach in etwa gleich viele Teilnehmer, die das klare Ziel der Haftstrafe in der Erziehung der Straftäter sehen, wie die Teilnehmer, die das Ziel klar nicht in der Erziehung sehen. Die Meinungen gehen diesbezüglich stark auseinander, was die Standardabweichung von 1,77 erklärt.

78,4% der Teilnehmer tendieren dazu, dass das primäre Ziel der Haftstrafe darin liegt, die Gesellschaft sicherer zu machen. Dieses strafrechtliche Ziel wird demnach am meisten

---

[123] Vgl. Bögelein (2016), S. 25f.
[124] Vgl. Bögelein (2016), S. 28.

unterstützt. Bei der Frage, ob die Haftstrafe für Sicherheit sorgt, tendierten 72,8% der Teilnehmer dazu, dass die Haftstrafe die Gesellschaft sicherer macht. Das wiederum zeigt, dass ein Großteil der Teilnehmer an dieses Ziel glaubt. Sicherheit steht in einem engen Verhältnis zur Resozialisierung des Straftäters und der Abschreckungsgefahr des Gefängnisses. Wenn die Straftäter nicht mehr rückfällig werden und potenzielle Täter durch die Haftstrafe davon abgehalten werden, Straftaten zu begehen, fühlen wir uns sicher.

Die Forschung von Prof. Albrecht und Prof. Jehle zeigen, dass im Jahr 2007 ca. jeder Dritte, der aus der Haft entlassen wurde bzw. strafrechtlich sanktioniert wurde, erneut innerhalb von drei Jahren straffällig geworden ist. Bei Raubdelikten und schweren Diebstahlsdelikten werden die Täter hingegen zu mehr als 50% rückfällig[125]. Die verfügbaren Statistiken lassen jedoch keine Rückschlüsse darauf zu, inwieweit der Strafvollzug letztendlich rückfallwirkend ist.[126] Es ist schwierig, die Abschreckungsgefahr einzuschätzen. Bei den Tätern, die in Haft sitzen, hat die Abschreckungsgefahr nicht gewirkt. Die Ermittlung der Abschreckung auf potenzielle Täter ist fast unmöglich.[127] Wie bereits festgestellt sehen nur knapp über 50% der Teilnehmer der Forschungsumfrage den Zweck der Haftstrafe in der Resozialisierung oder in der Erziehung der Straftäter. Die Teilnehmer sehen das Ziel eher darin, die Gesellschaft sicherer zu machen. Doch da stellt sich die Frage, was für die Teilnehmer Sicherheit bedeutet. Wie anfangs festgestellt, tendierten ca. 90% der Teilnehmer dazu, den Sinn von Strafe darin zu sehen, den Täter von der Begehung weiterer Straftaten abzuhalten. Das lässt sich aber nur bedingt auf die Haftstrafe übertragen, da nur etwa 50% der Teilnehmer dazu tendieren, den Zweck der Haftstrafe in der Resozialisierung oder Erziehung der Straftäter zu sehen. Eine funktionierende Resozialisierung und Erziehung des Täters würde nämlich darauf hinauslaufen, dass der Täter von der Begehung künftiger Straftaten abgehalten wird. 80,9% der Teilnehmer sehen den Sinn von Strafe darin, potenzielle Täter von der Begehung künftiger Straftaten abzuhalten. Der Glaube daran, scheint ein Gefühl von Sicherheit zu erzeugen.

Galli führt als Argument an, dass die Gefängnismauern, die Abschottung der Gefangenen, ein Sicherheitsgefühl erzeugen.[128] Das Streben nach Sicherheit führt zur Intoleranz gegenüber Abweichungen jeglicher Form.[129] Wenn das primäre Ziel des Gefängnisses nicht nur in der Resozialisierung oder Erziehung liegt und nur das Sicherheitsgefühl der Gesellschaft die Institution aufrechterhält, ist fraglich, wie lange es noch bestehen bleibt. Sollten nicht vielleicht andere Strafen in Betracht gezogen werden, die der Gesellschaft etwas

---

[125] Vgl. Jehle u.a. (2013), S. 7ff.
[126] Vgl. Galli (2020), S.48.
[127] Vgl. Galli (2020), S. 107f.
[128] Vgl. Galli (2020), S. 101-106.
[129] Vgl. Endres (2005), S. 144.

zurückgeben als Ausgleich für das, was der Täter der Gesellschaft genommen hat. Wäre das nicht gerechter? Ich will nicht sagen, dass das Gefängnis nicht sinnvoll ist. Das Konzept der Gefängnisinstitution muss aber überarbeitet werden. Die Täter müssen unterstützt werden. Psychologische Betreuung sollte der Kernpunkt des Gefängnisses darstellen. Kein Autoritätsgehabe, sondern humanitärer Umgang sollte herrschen. Wenn wir es schaffen, das Verhalten, die Umstände, die Individualität des Täters im Gefängnis zu reflektieren, ist die Gesellschaft ein Stück gerechter und handelt „richtiger".

Foucault sagte über das Gefängnis, dass dort Individuen umgeformt werden, um sie gefügig zu machen und herzurichten.[130] Es tendieren 64,8% der Teilnehmer der Forschungsumfrage dazu, dieser Aussage nicht zuzustimmen. 14,6% haben sich bei der Frage, ob sie der Aussage zustimmen, enthalten. Das sind im Verhältnis zu den anderen Forschungsfragen relativ viele Enthaltungen. Daraus könnte interpretiert werden, dass zwar die Mehrheit der Teilnehmer der Aussage abgeneigt sind, einige aber auch ein Funken Wahrheit darin sehen.

---

[130] Vgl. Foucault (1977), S. 297.

11. Literaturverzeichnis

Bassenge, Friedrich (1934): Die Ethik der Strafe. Brünn.

Beling, Ernst (1908): Die Vergeltungsidee und ihre Bedeutung für das Strafrecht. Leipzig.

Bianchi, Herman (1966): Ethik des Strafens. Berlin.

BVerfG. Beschluss der 2. Kammer des Zweiten Senats vom 23. September 2014 - 2 BvR 2545/12 - Rn. (1 - 20). Online. http://www.bverfg.de/e/rk20140923_2bvr254512.html, abgerufen am 30.03.2022.

Bögelein, Nicole (2016): Deutungsmuster von Strafe. Eine strafsoziologische Untersuchung am Beispiel der Geldstrafe. Wiesbaden.

Dübgen, Franziska (2018): Rechtsbruch und Strafe. Gerechtigkeitstheoretische Erwägungen. In: ethikundgesellschaft ökumenische Zeitschrift für Sozialethik 2/2018, S. 1-21. Online. https://dx.doi.org/10.18156/eug-2-2018-art-4, zuletzt abgerufen am 02.03.2022.

Eisenberg, Ulrich/ Kölbel, Ralf (2017): Kriminologie 7. völlig neu bearbeitete Auflage. Tübingen.

Endres, Johann (2005): Über Sinn und Zweck der Strafe im absurden System. In: Bernhard Wydra (Hrsg.): "…die im Dunkeln sieht man nicht.". Perspektiven des Strafvollzugs, S. 96-118. Herbolzheim.

Fenner, Dagmar (2020): Ethik, Wie soll ich handeln?, 2. Auflage. Tübingen.

Fischer, Thomas (2017): Natur, Moral, Stigma-Bemerkungen zur Frage, wie Schuld in die Welt kam. In: Fischer, Thomas / Hoven, Elisa (Hrsg.): Schuld.1 Auflage. Band 3. S. 33-41. Baden-Baden.

Foucault, Michel (1977): Überwachen und Strafen. Die Geburt des Gefängnisses, Übersetzt von Walter Seitter 1. Auflage. Frankfurt am Main.

Franz, Streng (2017): Schuld und Sanktion-Überlegungen zum Schuldausgleich durch Strafe: In: Fischer, Thomas / Hoven, Elisa (Hrsg.): Schuld.1 Auflage. Band 3. S. 221-236. Baden-Baden.

Galli, Thomas (2020): Weggesperrt. Warum Gefängnisse niemanden nützen. Hamburg.

Gauck, Joachim (2010): Gerechtigkeit, Versöhnung und Strafe als gesellschaftliche und politische Herausforderung. In: Bongardt, Michael/ Wüstenberg, Ralf (Hrsg.): Versöhnung, Strafe und Gerechtigkeit. Das schwere Erbe von Unrechts-Staaten. S. 17-28. Berlin.

Geismann, Georg (1947): Ethik und Herrschaftsordnung. Tübingen.

Hallich, Oliver (2021): Strafe. In: Birnbacher Dieter/ Weithofer-Stekeler Pirmin / Tetens,

Holm (Hrsg.): Grundthemen Philosophie, S. 1-321. Berlin.

Hegel, Georg Wilhelm Friedrich (1821): Naturrecht und Staatswissenschaft im Grundrisse. In: Grotsch Klaus (2017): Grundlinien der Philosophie des Rechts. S. 61-336. Stuttgart Berlin.

Hentig, Hans (1932): Die Strafe. Ursprung, Zweck, Psychologie. Stuttgart Berlin.

Hirsch, Alfred (2004): Recht auf Gewalt?. München.

Hobbes, Thomas (2017): Vom Bürger. Vom Recht desjenigen, dem im Staat die höchste Macht zukommt, sei es ein Einzelner oder eine Versammlung. In: Lothar Waas (Hrsg.): Thomas Hobbes, Vom Bürger, Vom Menschen. S. 99-122. Hamburg.

Hoerster, Norbert (2012): Muss Strafe sein?: Positionen der Philosophie. München.

Hoven, Elisa (2021): Sinn und Unsinn von Haftstrafen. Zwei Perspektiven. In: Bundeszentrale für politische Bildung: Aus Politik und Zeitgeschichte Gefängnis. S. 12-13. Bonn.

Hurna, Myron (2017): Was ist, was will, was kann Moral?. Wiesbaden.

Jehle, Jörg-Martin/Albrecht, Hans-Jörg/Hohmann-Fricke, Sabine/Tetal, Carin (2013): Legalbewährung nach strafrechtlichen Sanktionen. Eine bundesweite Rückfalluntersuchung 2007 bis 2010 und 2004 bis 2010. Berlin.

Kant, Immanuel (1889): Kritik der reinen Vernunft. In: Erdmann, Benno: Immanuel Kant`s Kritik der reinen Vernunft. Vierte Stereotypenausgabe. S. 5- 633. Hamburg Leipzig.

Konrad, Norbert (2005): Psychologen und Psychiater im Justizvollzug. In: Wydra Bernhard (Hrsg.): "…die im Dunkeln sieht man nicht.". Perspektiven des Strafvollzugs. S. 211-215. Herbolzheim.

Kreß, Hartmut (2017): Der Schuldbegriff zwischen Moralität und Legalität. Heutiger Klärungsbedarf in der Rechtsordnung und im Strafrecht. In: Fischer, Thomas/ Hoven, Elisa (Hrsg.): Schuld.1 Auflage. Band 3. S.75-86. Baden-Baden.

Kunz, Karl-Ludwig / Singelnstein, Tobias (2016): Kriminologie. 7. Auflage. Bern.

Nietzsche, Friedrich (1968): Jenseits von Gut und Böse. Zur Genealogie der Moral (1886-1887). In: Colli Giorgio, Montinari Mazzino (Hrsg.): Nietzsche Werke. Kritische Gesamtausgabe, Seite 1-430. Berlin.

Nietzsche, Friedrich (2012): Jenseits von Gut und Böse. Zur Genealogie der Moral. München.

Nietzsche, Friedrich (1967): Menschliches, Allzumenschliches. Ein Buch für freie Geister. In: Giorgio, Colli / Mazzino, Montinari (Hrsg.): Nietzsche Werke. Kritische Gesamtausgabe. Vierte Abteilung. Zweiter Band. Menschliches, Allzumenschliches. Erster Band.

Nachgelassene Fragmente 1876 bis Winter 1877-1878. S. 7-582. Berlin.

Ostendorf, Heribert (2000): Wieviel Strafe braucht die Gesellschaft?. Plädoyer für eine soziale Strafrechtspflege. Baden-Baden.

Pieper, Annemarie (2017): Einführung in die Ethik. 7., aktualisierte Auflage. Tübingen.

Popitz, Heinrich (1968): Über die Präventivwirkung des Nichtwissens. In: Vormbaum, Thomas: Juristische Zeitgeschichte. Kleine Reihe Band 8. S. 1-29. Berlin.

Robinson, Paul H. (2019): Ein „Waffenstillstand" im Krieg der Straftheorien? Die empirisch ermittelte verdiente Strafe, moralische Glaubwürdigkeit und die Verinnerlichung von gesellschaftlichen Normen. In: Kaspar, Johannes / Toni Walter (Hrsg.): Strafen „im Namen des Volkes"?. S. 13-34. Baden-Baden.

Roth, Gerhard / Merkel Grischa, Merkel (2010): Hirnforschung, Gewalt und Strafe-Erkenntnisse neurowissenschaftlicher Forschung für den Umgang mit Gewaltstraftätern. In: Stompe, Thomas / Schanda, Hans(Hrsg.): Der freie Wille und die Schulfähigkeit in Recht, Psychiatrie und Neurowissenschaften. S. 143-164. Berlin.

Rotthaus, Karl Peter (2005): Psychologen und Juristen im Justizvollzug. Entwicklung und Perspektiven ihrer Zusammenarbeit. In: Bernhard Wydra (Hrsg.): "...die im Dunkeln sieht man nicht.". Perspektiven des Strafvollzugs. S. 190-210. Herbolzheim.

Schulte, Philipp (2019): Kontrolle und Delinquenz. Panelanalysen zu justizieller Stigmatisierung und Abschreckung. Münster.

Schwarzenberger, Suse (1933): Die Bedeutung der modernen Erziehungswissenschaft für das Juristische Strafproblem. Heidelberg.

Skroblin, Guntram (2005): Einige Bemerkungen zur ‚Autorität'. In: Wydra, Bernhard (Hrsg.): "...die im Dunkeln sieht man nicht.". Perspektiven des Strafvollzugs. S. 127-136. Herbolzheim.

Stock, Ulrich (1933): Die Strafe als Dienste am Volke. Tübingen.

Trummer, Harald Markus (2013): Macht-Strafe-Gefängnis. Eine Auseinandersetzung mit Michel Foucault aus ethisch-theologischer Perspektive. Graz (Österreich).

Walter, Tonio (2016): Strafe und Vergeltung-Rehabilitation und Grenzen eines Prinzips. In: Roth Herbert (Hrsg.): Schriften der juristischen Studiengesellschaft Regensburg e.V. Heft 40. S. 7-21. Baden-Baden.

Wohlgemuth, Rüdiger (2005): Verwickeln oder entwickeln?. Prioritäten in der Organisations-entwicklung. In: Bernhard Wydra (Hrsg.): "...die im Dunkeln sieht man nicht.". Perspektiven des Strafvollzugs, S. 119-126. Herbolzhe

12. Anhang

12.1 Forschungsumfrage

Online Befragung zum Thema Haftstrafen unter ethischer Betrachtung Fragen:

Sinn und Zweck von Strafe?
1) Liegt der Sinn der Strafe in der Vergeltung für ein Unrecht?
2) Liegt der Sinn der Strafe darin, den Täter von der Begehung weiterer Straftaten abzuhalten?
3) Liegt der Sinn der Strafe darin, potenzielle Täter von der Begehung künftiger Straftaten abzuhalten?

Gesellschaft und Strafe
4) Hat der Staat das Recht zu strafen?
5) Muss die Ausübung von Strafe gerecht sein?
6) Werden Strafen gebraucht, damit das System der Gesellschaft (Zusammenleben vieler Menschen) funktioniert?

Sinn und Zweck von Haftstrafen?
7) Liegt das primäre Ziel der Haftstrafe in der Resozialisierung der Straftäter?
8) Liegt das primäre Ziel der Haftstrafe darin, die Gesellschaft sicherer zu machen?
9) Liegt das primäre Ziel der Haftstrafe darin, die Straftäter zu erziehen?
10) Sind Haftstrafen sinnvoll?
11) Sorgt die Haftstrafe für Sicherheit in der Gesellschaft?
12) Ist es gerecht einen Mörder zu einer Haftstrafe zu verurteilen?
13) Ist es gerecht einen Steuerhinterzieher zu einer Haftstrafe zu verurteilen?
14) „Im Gefängnis sollen Individuen umgeformt werden, um sie gefügig zu machen und sie herzurichten." Vgl. Foucault, Michel (1977), Überwachen und Strafen, Die Geburt des Gefängnisses, Übersetzt von Walter Seitter, 1. Auflage. Frankfurt am Main.

Kontrollfragen
15) Wie alt sind sie?
16) Als welches Geschlecht identifizieren sie sich?
17) Ihr höchster Bildungsabschluss?

Antwortmöglichkeiten Frage 4) und 14): Ja, Nein, Teilweise
Antwortmöglichkeiten Fragen 1)-3),5)-13) : Ja(1), Meistens(2), Eher Ja(3), Neutral(4), Eher Nein(5), Selten(6), Nein(7)
Antwortmöglichkeiten Frage 15): 18-24, 25-34, 35-44, 45-54, 55-64, 65-74, Älter als 75
Antwortmöglichkeiten Frage 16): Männlich, Weiblich, Divers, Keine Angabe gewünscht
Antwortmöglichkeiten Frage 17): Hauptschulabschluss/Mittlere Reife, Abitur oder gleichwertiger Abschluss, Ausbildungsabschluss, Vordiplom, Bachelor-Abschluss/Diplom, Weiterführendes Studium/Master-Abschluss, Keiner der oben genannten

Durchführung der Online Umfrage über „Google docs", Analyse und Auswertung über SPSS.

12.2 Häufigkeitstabellen

Häufigkeitstabellen der Forschungsumfrage (eigene Tab.)

Liegt der Sinn der Strafe in der Vergeltung für ein Unrecht?

		Häufigkeit	Prozent	Gültige Prozente	Kumulierte Prozente
Gültig	Ja	52	26,1	26,1	26,1
	Meistens	37	18,6	18,6	44,7
	Eher ja	40	20,1	20,1	64,8
	Neutral	14	7,0	7,0	71,9
	Eher nein	34	17,1	17,1	88,9
	Selten	6	3,0	3,0	92,0
	Nein	16	8,0	8,0	100,0
	Gesamt	199	100,0	100,0	

Liegt der Sinn der Strafe darin, den Täter von der Begehung weiterer Straftaten abzuhalten?

		Häufigkeit	Prozent	Gültige Prozente	Kumulierte Prozente
Gültig	Ja	97	48,7	48,7	48,7
	Meistens	47	23,6	23,6	72,4
	Eher ja	35	17,6	17,6	89,9
	Neutral	4	2,0	2,0	92,0
	Eher nein	8	4,0	4,0	96,0
	Selten	2	1,0	1,0	97,0
	Nein	6	3,0	3,0	100,0
	Gesamt	199	100,0	100,0	

Liegt der Sinn der Strafe darin, potentielle Täter von der Begehung künftiger Straftaten abzuhalten?

		Häufigkeit	Prozent	Gültige Prozente	Kumulierte Prozente
Gültig	Ja	83	41,7	41,7	41,7
	Meistens	29	14,6	14,6	56,3
	Eher ja	49	24,6	24,6	80,9
	Neutral	6	3,0	3,0	83,9
	Eher nein	19	9,5	9,5	93,5
	Selten	4	2,0	2,0	95,5
	Nein	9	4,5	4,5	100,0
	Gesamt	199	100,0	100,0	

Hat der Staat das Recht zu strafen?

		Häufigkeit	Prozent	Gültige Prozente	Kumulierte Prozente
Gültig	Ja	138	69,3	69,3	69,3
	Meistens	31	15,6	15,6	84,9
	Eher ja	16	8,0	8,0	93,0
	Neutral	7	3,5	3,5	96,5
	Eher nein	2	1,0	1,0	97,5
	Selten	1	,5	,5	98,0
	Nein	4	2,0	2,0	100,0
	Gesamt	199	100,0	100,0	

Muss die Ausübung von Strafe gerecht sein?

		Häufigkeit	Prozent	Gültige Prozente	Kumulierte Prozente
Gültig	Ja	158	79,4	79,4	79,4
	Meistens	18	9,0	9,0	88,4
	Eher ja	13	6,5	6,5	95,0
	Neutral	6	3,0	3,0	98,0
	Eher nein	1	,5	,5	98,5
	Nein	3	1,5	1,5	100,0
	Gesamt	199	100,0	100,0	

Werden Strafen gebraucht, damit das System der Gesellschaft funktioniert?

		Häufigkeit	Prozent	Gültige Prozente	Kumulierte Prozente
Gültig	Ja	103	51,8	51,8	51,8
	Meistens	40	20,1	20,1	71,9
	Eher ja	37	18,6	18,6	90,5
	Neutral	8	4,0	4,0	94,5
	Eher nein	4	2,0	2,0	96,5
	Selten	1	,5	,5	97,0
	Nein	6	3,0	3,0	100,0
	Gesamt	199	100,0	100,0	

Liegt das primäre Ziel der Haftstrafe in der Resozialisierung der Straftäter?

		Häufigkeit	Prozent	Gültige Prozente	Kumulierte Prozente
Gültig	Ja	18	9,0	9,0	9,0
	Meistens	39	19,6	19,6	28,6
	Eher ja	50	25,1	25,1	53,8
	Neutral	24	12,1	12,1	65,8
	Eher nein	40	20,1	20,1	85,9
	Selten	13	6,5	6,5	92,5
	Nein	15	7,5	7,5	100,0
	Gesamt	199	100,0	100,0	

Liegt das primäre Ziel der Haftstrafe darin, die Gesellschaft sicherer zu machen?

		Häufigkeit	Prozent	Gültige Prozente	Kumulierte Prozente
Gültig	Ja	62	31,2	31,2	31,2
	Meistens	42	21,1	21,1	52,3
	Eher ja	52	26,1	26,1	78,4
	Neutral	16	8,0	8,0	86,4
	Eher nein	18	9,0	9,0	95,5
	Selten	5	2,5	2,5	98,0
	Nein	4	2,0	2,0	100,0
	Gesamt	199	100,0	100,0	

Liegt das primäre Ziel der Haftstrafe darin, die Straftäter zu erziehen?

		Häufigkeit	Prozent	Gültige Prozente	Kumulierte Prozente
Gültig	Ja	22	11,1	11,1	11,1
	Meistens	33	16,6	16,6	27,6
	Eher ja	47	23,6	23,6	51,3
	Neutral	31	15,6	15,6	66,8
	Eher nein	35	17,6	17,6	84,4
	Selten	10	5,0	5,0	89,4
	Nein	21	10,6	10,6	100,0
	Gesamt	199	100,0	100,0	

Sind Haftstrafen sinnvoll?

		Häufigkeit	Prozent	Gültige Prozente	Kumulierte Prozente
Gültig	Ja	81	40,7	40,7	40,7
	Meistens	44	22,1	22,1	62,8
	Eher ja	37	18,6	18,6	81,4
	Neutral	22	11,1	11,1	92,5
	Eher nein	10	5,0	5,0	97,5
	Selten	3	1,5	1,5	99,0
	Nein	2	1,0	1,0	100,0
	Gesamt	199	100,0	100,0	

Sorgt die Haftstrafe für Sicherheit in der Gesellschaft?

		Häufigkeit	Prozent	Gültige Prozente	Kumulierte Prozente
Gültig	Ja	43	21,6	21,6	21,6
	Meistens	44	22,1	22,1	43,7
	Eher ja	58	29,1	29,1	72,9
	Neutral	24	12,1	12,1	84,9
	Eher nein	21	10,6	10,6	95,5
	Selten	2	1,0	1,0	96,5
	Nein	7	3,5	3,5	100,0
	Gesamt	199	100,0	100,0	

Ist es gerecht, einen Mörder zu einer Haftstrafe zu verurteilen?

		Häufigkeit	Prozent	Gültige Prozente	Kumulierte Prozente
Gültig	Ja	161	80,9	80,9	80,9
	Meistens	20	10,1	10,1	91,0
	Eher ja	8	4,0	4,0	95,0
	Neutral	3	1,5	1,5	96,5
	Eher nein	6	3,0	3,0	99,5
	Nein	1	,5	,5	100,0
	Gesamt	199	100,0	100,0	

Ist es gerecht, einen Steuerhinterzieher zu einer Haftstrafe zu verurteilen?

		Häufigkeit	Prozent	Gültige Prozente	Kumulierte Prozente
Gültig	Ja	63	31,7	31,7	31,7
	Meistens	27	13,6	13,6	45,2
	Eher ja	42	21,1	21,1	66,3
	Neutral	17	8,5	8,5	74,9
	Eher nein	38	19,1	19,1	94,0
	Selten	4	2,0	2,0	96,0
	Nein	8	4,0	4,0	100,0
	Gesamt	199	100,0	100,0	

Stimmen sie der Aussage zu?

		Häufigkeit	Prozent	Gültige Prozente	Kumulierte Prozente
Gültig	Ja	14	7,0	7,0	7,0
	Meistens	6	3,0	3,0	10,1
	Eher ja	21	10,6	10,6	20,6
	Neutral	29	14,6	14,6	35,2
	Eher nein	84	42,2	42,2	77,4
	Selten	6	3,0	3,0	80,4
	Nein	39	19,6	19,6	100,0
	Gesamt	199	100,0	100,0	

12.3 Deskriptive Statistiken

Deskriptive Statistiken der Forschungsumfrage (eigene Tab.)

Deskriptive Statistiken[a]

	N	Minimum	Maximum	Mittelwert	Std.-Abweichung
Liegt der Sinn der Strafe in der Vergeltung für ein Unrecht?	70	1	7	3,03	1,685
Liegt der Sinn der Strafe darin, den Täter von der Begehung weiterer Straftaten abzuhalten?	70	1	7	1,83	1,307
Liegt der Sinn der Strafe darin, potentielle Täter von der Begehung künftiger Straftaten abzuhalten?	70	1	6	2,24	1,367
Hat der Staat das Recht zu strafen?	70	1	4	1,41	,712
Muss die Ausübung von Strafe gerecht sein?	70	1	4	1,37	,765
Werden Strafen gebraucht, damit das System der Gesellschaft funktioniert?	70	1	7	1,89	1,325
Liegt das primäre Ziel der Haftstrafe in der Resozialisierung der Straftäter?	70	1	7	3,71	1,678
Liegt das primäre Ziel der Haftstrafe darin, die Gesellschaft sicherer zu machen?	70	1	7	2,64	1,588
Liegt das primäre Ziel der Haftstrafe darin, die Straftäter zu erziehen?	70	1	7	3,61	1,747
Sind Haftstrafen sinnvoll?	70	1	6	1,99	1,291
Sorgt die Haftstrafe für Sicherheit in der Gesellschaft?	70	1	5	2,47	1,282
Ist es gerecht, einen Mörder zu einer Haftstrafe zu verurteilen?	70	1	5	1,39	,906
Ist es gerecht, einen Steuerhinterzieher zu einer Haftstrafe zu verurteilen?	70	1	7	3,20	1,708
Stimmen sie der Aussage zu?	70	1	7	4,26	1,548
Gültige Werte (listenweise)	70				

a. Wie alt sind sie? = 18-24 Jahre

Deskriptive Statistiken[a]

	N	Minimum	Maximum	Mittelwert	Std.-Abweichung
Liegt der Sinn der Strafe in der Vergeltung für ein Unrecht?	23	1	7	3,17	2,037
Liegt der Sinn der Strafe darin, den Täter von der Begehung weiterer Straftaten abzuhalten?	23	1	7	2,26	1,421
Liegt der Sinn der Strafe darin, potentielle Täter von der Begehung künftiger Straftaten abzuhalten?	23	1	7	2,43	1,590
Hat der Staat das Recht zu strafen?	23	1	7	1,78	1,565
Muss die Ausübung von Strafe gerecht sein?	23	1	7	1,78	1,565
Werden Strafen gebraucht, damit das System der Gesellschaft funktioniert?	23	1	7	2,00	1,382
Liegt das primäre Ziel der Haftstrafe in der Resozialisierung der Straftäter?	23	2	7	4,13	1,576
Liegt das primäre Ziel der Haftstrafe darin, die Gesellschaft sicherer zu machen?	23	1	7	2,57	1,502
Liegt das primäre Ziel der Haftstrafe darin, die Straftäter zu erziehen?	23	1	7	3,43	1,927
Sind Haftstrafen sinnvoll?	23	1	7	2,26	1,573
Sorgt die Haftstrafe für Sicherheit in der Gesellschaft?	23	1	7	2,78	1,476
Ist es gerecht, einen Mörder zu einer Haftstrafe zu verurteilen?	23	1	7	1,48	1,473
Ist es gerecht, einen Steuerhinterzieher zu einer Haftstrafe zu verurteilen?	23	1	7	2,83	2,269
Stimmen sie der Aussage zu?	23	1	7	4,48	1,806
Gültige Werte (listenweise)	23				

a. Wie alt sind sie? = 25-34 Jahre

Deskriptive Statistiken[a]

	N	Minimum	Maximum	Mittelwert	Std.-Abweichung
Liegt der Sinn der Strafe in der Vergeltung für ein Unrecht?	26	1	7	3,27	1,951
Liegt der Sinn der Strafe darin, den Täter von der Begehung weiterer Straftaten abzuhalten?	26	1	7	2,23	1,451
Liegt der Sinn der Strafe darin, potentielle Täter von der Begehung künftiger Straftaten abzuhalten?	26	1	7	3,46	2,158
Hat der Staat das Recht zu strafen?	26	1	7	2,23	1,478
Muss die Ausübung von Strafe gerecht sein?	26	1	7	1,46	1,240
Werden Strafen gebraucht, damit das System der Gesellschaft funktioniert?	26	1	7	2,38	1,651
Liegt das primäre Ziel der Haftstrafe in der Resozialisierung der Straftäter?	26	1	7	3,62	1,472
Liegt das primäre Ziel der Haftstrafe darin, die Gesellschaft sicherer zu machen?	26	1	7	2,62	1,388
Liegt das primäre Ziel der Haftstrafe darin, die Straftäter zu erziehen?	26	1	7	3,50	1,393
Sind Haftstrafen sinnvoll?	26	1	5	2,62	1,235
Sorgt die Haftstrafe für Sicherheit in der Gesellschaft?	26	1	7	3,31	1,490
Ist es gerecht, einen Mörder zu einer Haftstrafe zu verurteilen?	26	1	5	1,46	,948
Ist es gerecht, einen Steuerhinterzieher zu einer Haftstrafe zu verurteilen?	26	1	7	2,73	1,779
Stimmen sie der Aussage zu?	26	1	7	4,46	1,702
Gültige Werte (listenweise)	26				

a. Wie alt sind sie? = 35-44 Jahre

	N	Minimum	Maximum	Mittelwert	Std.-Abweichung
Liegt der Sinn der Strafe in der Vergeltung für ein Unrecht?	44	1	7	3,00	1,941
Liegt der Sinn der Strafe darin, den Täter von der Begehung weiterer Straftaten abzuhalten?	44	1	7	2,25	1,587
Liegt der Sinn der Strafe darin, potentielle Täter von der Begehung künftiger Straftaten abzuhalten?	44	1	5	2,18	1,244
Hat der Staat das Recht zu strafen?	44	1	7	1,55	1,302
Muss die Ausübung von Strafe gerecht sein?	44	1	3	1,16	,526
Werden Strafen gebraucht, damit das System der Gesellschaft funktioniert?	44	1	7	1,82	1,225
Liegt das primäre Ziel der Haftstrafe in der Resozialisierung der Straftäter?	44	1	7	3,48	1,836
Liegt das primäre Ziel der Haftstrafe darin, die Gesellschaft sicherer zu machen?	44	1	6	2,61	1,466
Liegt das primäre Ziel der Haftstrafe darin, die Straftäter zu erziehen?	44	1	7	3,82	1,808
Sind Haftstrafen sinnvoll?	44	1	7	2,50	1,517
Sorgt die Haftstrafe für Sicherheit in der Gesellschaft?	44	1	7	3,16	1,642
Ist es gerecht, einen Mörder zu einer Haftstrafe zu verurteilen?	44	1	5	1,50	1,067
Ist es gerecht, einen Steuerhinterzieher zu einer Haftstrafe zu verurteilen?	44	1	7	3,14	1,679
Stimmen sie der Aussage zu?	44	1	7	5,36	1,496
Gültige Werte (listenweise)	44				

a. Wie alt sind sie? = 45-54 Jahre

Deskriptive Statistiken[a]

	N	Minimum	Maximum	Mittelwert	Std.-Abweichung
Liegt der Sinn der Strafe in der Vergeltung für ein Unrecht?	29	1	7	3,45	2,229
Liegt der Sinn der Strafe darin, den Täter von der Begehung weiterer Straftaten abzuhalten?	29	1	7	1,90	1,423
Liegt der Sinn der Strafe darin, potentielle Täter von der Begehung künftiger Straftaten abzuhalten?	29	1	7	2,52	2,214
Hat der Staat das Recht zu strafen?	29	1	7	1,55	1,378
Muss die Ausübung von Strafe gerecht sein?	29	1	5	1,45	,985
Werden Strafen gebraucht, damit das System der Gesellschaft funktioniert?	29	1	7	2,14	1,529
Liegt das primäre Ziel der Haftstrafe in der Resozialisierung der Straftäter?	29	1	7	3,48	1,939
Liegt das primäre Ziel der Haftstrafe darin, die Gesellschaft sicherer zu machen?	29	1	7	2,45	1,660
Liegt das primäre Ziel der Haftstrafe darin, die Straftäter zu erziehen?	29	1	7	4,21	2,042
Sind Haftstrafen sinnvoll?	29	1	6	2,28	1,412
Sorgt die Haftstrafe für Sicherheit in der Gesellschaft?	29	1	7	2,93	1,731
Ist es gerecht, einen Mörder zu einer Haftstrafe zu verurteilen?	29	1	2	1,07	,258
Ist es gerecht, einen Steuerhinterzieher zu einer Haftstrafe zu verurteilen?	29	1	5	2,34	1,542
Stimmen sie der Aussage zu?	29	1	7	4,83	1,649
Gültige Werte (listenweise)	29				

a. Wie alt sind sie? = 55-64 Jahre

Deskriptive Statistiken[a]

	N	Minimum	Maximum	Mittelwert	Std.-Abweichung
Liegt der Sinn der Strafe in der Vergeltung für ein Unrecht?	7	1	5	2,57	1,397
Liegt der Sinn der Strafe darin, den Täter von der Begehung weiterer Straftaten abzuhalten?	7	1	5	2,00	1,528
Liegt der Sinn der Strafe darin, potentielle Täter von der Begehung künftiger Straftaten abzuhalten?	7	1	6	3,14	2,193
Hat der Staat das Recht zu strafen?	7	1	2	1,29	,488
Muss die Ausübung von Strafe gerecht sein?	7	1	7	2,14	2,268
Werden Strafen gebraucht, damit das System der Gesellschaft funktioniert?	7	1	3	1,71	,951
Liegt das primäre Ziel der Haftstrafe in der Resozialisierung der Straftäter?	7	2	5	3,14	1,069
Liegt das primäre Ziel der Haftstrafe darin, die Gesellschaft sicherer zu machen?	7	1	4	2,29	1,254
Liegt das primäre Ziel der Haftstrafe darin, die Straftäter zu erziehen?	7	1	5	3,14	1,345
Sind Haftstrafen sinnvoll?	7	1	4	2,14	1,069
Sorgt die Haftstrafe für Sicherheit in der Gesellschaft?	7	1	5	2,86	1,464
Ist es gerecht, einen Mörder zu einer Haftstrafe zu verurteilen?	7	1	2	1,14	,378
Ist es gerecht, einen Steuerhinterzieher zu einer Haftstrafe zu verurteilen?	7	1	4	2,14	1,069
Stimmen sie der Aussage zu?	7	5	7	5,86	1,069
Gültige Werte (listenweise)	7				

a. Wie alt sind sie? = 65-74 Jahre

www.ingramcontent.com/pod-product-compliance
Lightning Source LLC
Chambersburg PA
CBHW050928030726
47586CB00005B/1587